125

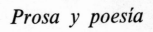

Prosa y poesía

Letras Hispánicas

Alfonso Reyes

Prosa y poesía

Edición de
James Willis Robb

EDICIONES CÁTEDRA, S. A. Madrid

504427

Ediciones Cátedra, S. A., 1975
Cid, 4. Madrid-1
Depósito legal: M. 1.816.—1975
ISBN: 84-376-0033-2
Printed in Spain
Impreso en Artes Gráficas Benzal
Virtudes, 7. Madrid-3
Papel: Torras Hostench, S. A.

Índice

Introducción

Siete presencias de Alfonso Reyes

Alfonso Reyes, el «mexicano universal» por excelencia, el hombre de letras más completo que México ha dado a Hispanoamérica y al mundo, nos dejó en diciembre de 1959, pero su presencia espiritual perdura entre nosotros en su vasta obra literaria —todavía en parte inédita— y en la constante inspiración de su persona, su vida, sus contribuciones múltiples a la cultura.

¿Cómo enfocar las mil y tantas facetas de una personalidad tan rica y compleja, de un humanista y artista que nos legó por sí solo toda una literatura de poeta, narrador, ensayista, memorialista, teórico y crítico literario, pensador filosófico, fino intérprete de todos los fenómenos de la lengua y la cultura? Sólo intentaremos vislumbrar algunas, mediante la evocación de algunas grandes etapas de su carrera a través del tiempo y del espacio.

Presencia de Monterrey

Alfonso Reyes pasó la primera juventud en Monterrey, Nuevo León, en el norte de la república mexicana, donde su padre, el general Bernardo Reyes, fue gobernador del Estado e hizo tanto por crear el Monterrey industrial y progresivo de hoy. Allí nació Alfonso, uno de varios hijos, el día 17 de mayo de 1889. Buscando la presencia de Alfonso Reyes en Monterrey, la encontramos hoy no sólo en el sitio de su nacimiento, en la avenida del Padre Mier, ya disfrazado por un almacén moderno, marcado por una placa conmemorativa: la encontramos en los amigos aún vivos que lo conocieron; en el paisaje regiomontano, sobre todo al mirar hacia aquel Cerro de la Silla, tantas veces recordado por don Alfonso y convertido en símbolo heráldico personal; y en el cordial espíritu humanístico que hoy mismo fluye por esa Universidad de Nuevo León, que viene floreciendo en su nueva Ciudad Universitaria, en donde ahora nos saluda la estatua de don Alfonso sobre una columna helénica delante de la Facultad de Filosofía y Letras.

La presencia de Monterrey se implantó en el alma de don Alfonso y lo siguió durante la vida entera, siendo evocada con ternura en la prosa de sus memorias (Parentalia, Albores) o en versos escritos desde los más diversos lugares.

Desde Río y Buenos Aires lo recordará en su gaceta literaria personal titulada *Monterrey*, en que figura siempre su blasón personal alfonsino: su propio dibujo de la ciudad con el perfil del Cerro de la Silla, y esta copla popular que alude a la situación geográfica del Cerro entre Monterrey y el pueblo de Cadereyta:

> Hermoso cerro de la sía
> Quién estuviera en tu horqueta,
> Una pata pa' Monterrey
> Y la otra pa' Cadereyta.

Este emblema volverá a aparecer en portadas de sus libros, como membrete en su papel de correspondencia y, finalmente, esculpido en su tumba: símbolo siempre de su arraigo en la tierra natal y en el elemento popular, de sus altas aspiraciones y de su actitud de mirador u observador hacia el mundo.

Vienen los años de 1906 a 1913: los de su educación y madurez precoz en la capital mexicana. Son años de fermentación social en México, y de fermentación cultural en que el aún joven Alfonso es uno de los principales actores. En vísperas de la Revolución Mexicana, los jóvenes intelectuales del Ateneo de la Juventud lanzan una pacífica revolución cultural. Entre ellos se destacan Pedro Henríquez Ureña, Antonio Caso, José Vasconcelos y Alfonso Reyes. Reaccionan contra la filosofía positivista y la decadente enseñanza de la Escuela Nacional Preparatoria durante el régimen porfirista. Con Justo Sierra propulsan una reforma en la Universidad Nacional. Todo esto lo recrea don Alfonso con viva dramaticidad en su ensayo-memoria *Pasado inmediato* (**O**[*bras*] **C**[*ompletas*], *XII*).

En estos días el joven Alfonso se revela ya como un genio intelectual, no de una precocidad insegura o desequilibrada, sino de una sorprendente madurez, de una cultura ya bien formada, de una curiosidad insaciable por todos los ramos del conocimiento humano; parece haberlo leído ya todo y entendido todo, sin sombra de afectadas pretensiones. Dentro ya de todas estas actividades viene brotando la obra literaria de Alfonso Reyes como poeta, como cuentista, como crítico literario y humanista total. Sus trabajos críticos para el Ateneo se dedican al análisis de los poetas mexicanos: «Los poemas rústicos de Manuel José Othón» y «El paisaje en la poesía mexicana del siglo XIX». *Cuestiones estéticas*, libro editado en París en 1911, es su primera irradiación en el mundo internacional de las letras. Estos ensayos exhiben las cualidades que distinguirán toda la obra alfonsina: erudición y poesía, íntima fusión de la crítica y la creación literarias, el pensamiento realzado por la visión artística. El variado repertorio de temas («Las tres Electras del teatro ateniense», «Sobre la estética de Goethe», «Sobre el procedimiento ideológico de Stéphane Mallarmé», Bernard Shaw, la novelística nacional, los proverbios y sentencias vulgares, temas diversos de literatura española y poesía hispanoamericana) preludia ya frecuentes motivos de predilección que irán interesando a don Alfonso a través de más de medio siglo.

Los años 1911-1913 son cruciales para Alfonso Reyes. En 1911 se casa con Manuela Mota, su compañera ideal. Dirá don Alfonso, guiñando el ojo, que una condición del contrato matrimonial de Manuela y Alfonso era que ella (más alta que él) debía alcanzarle siempre los libros de los estantes superiores de su biblioteca. Todo eso, de buen agüero; pero el 9 de febrero de 1913 ocurre el trauma de la muerte violenta de su padre el general Reyes en las acciones revolucionarias. (Ver la emocionante evocación de su padre por Alfonso en *Oración del 9 de febrero.*) Después de recibirse de abogado el siguiente mes de julio, Alfonso sale para Francia en misión diplomático-educativa y se lanza a su carrera diplomática de más de veinte años. Primero Francia, por año y medio, hasta la invasión alemana de la primera guerra mundial, en que pasa a España, quedando sin cargo oficial por seis años. Volveremos con él a Francia después de su década madrileña.

Tercera Presencia: la de España y de México desde España

En Madrid pasa don Alfonso diez años muy fructíferos, de 1914 a 1924. Primero unos días un poco difíciles en lo económico, pero después un período de actividad diversa, entre periodismo e investigación erudita; finalmente, cuatro años con un nuevo puesto diplomático. José Ortega y Gasset, al fundar el diario madrileño *El sol*, confía a Reyes la página de historia, geografía y temas humanísticos en general. Con el grupo de Ramón Menéndez Pidal en el Centro de Estudios Históricos (Federico de Onís, Tomás Navarro, Américo Castro, entre otros), realiza estudios filológico-literarios de primera importancia, especialmente sobre Góngora, Ruiz de Alarcón y otros del Siglo de Oro (Lope de Vega, Quevedo, Gracián), preparando ediciones de los clásicos españoles y del poeta mexicano Amado Nervo. Su helenismo encuentra forma lírico-dramática en *Ifigenia cruel*, una de sus máximas creaciones en verso, que se ha representado en Madrid y en México.

La presencia de Alfonso Reyes en el mundo literario-cultural de Madrid se hace sentir de una manera inolvidable. Conviviendo con luminarias literarias españolas como Juan Ramón Jiménez, *Azorín*, Valle-Inclán y Ramón Gómez de la Serna, que lo reciben como uno de ellos mismos, aporta a la vez un matiz peculiarmente mexicano de cortesía, de discreción, de sutileza y de gracia que ellos aprecian, actuando él de embajador cultural, de puente y de hilo conductor entre la vida intelectual de México, España y el resto de Europa.

Aquí (en la ausencia que despierta nostalgia) se cristaliza la presencia de México en su *Visión de Anáhuac*, publicada en San José de Costa Rica en 1917. En este poema en prosa, desarrollado como una sucesión de panoramas cinemáticos, Reyes se inspira en lo que llama «la musa de la geografía» (unida a la de la historia) o «la poesía del archivo». Partiendo de la evocación poética de aquella «región más transparente del aire» (como él mismo bautiza el alto valle de Anáhuac o de México), poetiza la materia documental de las crónicas de la Conquista y le extrae una lección de mexicanismo.

Ya vemos que los diversos mundos geográfico-espirituales de Alfonso Reyes nunca se aíslan en compartimentos. Desde México, Reyes venía pensando en México y en Grecia, en Goethe y en Mallarmé, en Góngora y en Bernard Shaw. Desde España compone otro de sus relatos más mexicanamente indigenistas, *El testimonio de Juan Peña;* por otro lado la presencia de España se traduce luminosamente en sus ensayos costumbristas e impresionistas, los *Cartones de Madrid, Horas de Burgos* y en otras piezas que componen *Las vísperas de España.* Finalmente, todo un desfile de primorosos libros brotará de su experiencia madrileña: *Retratos reales e imaginarios* de figuras como Lutero y el Cardenal Cisneros, Chateaubriand, Fray Servando Teresa de Mier (su compatriota regiomontano), Gracián, Felipe IV y Napoleón I; *Simpatías y diferencias*, que recoge reseñas, comentarios periodísticos, meditaciones ocasionales sobre la mayor variedad de temas literarios y culturales; *Calendario*, ensayos mínimos que al vuelo sintetizan una observación, una anécdota, un análisis o fragmento de teoría literaria.

Doble Presencia de Francia

Francia, otro mundo cultural en que Reyes convive perfectamente, ocupa dos etapas en su itinerario: 1913-1914 y 1924-1927. Diplomático oficialmente, siempre desempeña el papel de embajador cultural en el sentido más amplio, tendiendo puentes culturales entre Francia —crucero de las corrientes internacionales— y América Latina, como antes sus amigos peruanos los hermanos Francisco y Ventura García Calderón. Sus amistades francesas Jules Romains y Valery Larbaud, sus afinidades con Mallarmé, Paul Valéry, Proust, Anatole France, Rémy de Gourmont, tendrán expresión en las más diversas obras elaboradas en distintas ocasiones. Mallarmé será frecuente punto de partida para meditaciones alfonsinas sobre los problemas de la traducción, la creación poética, las angustias metafísicas. Un libro de ensayos basado en sus experiencias de París, *El cazador*, ejemplifica su don artístico para transformar la mera crónica literaria ocasional en creación poética autónoma o en fecunda divagación. Allí evoca Reyes el «París cubista», «Las hazañas de Mistral» (el poeta provenzal), el padre José Trinidad Reyes de Honduras, «Montaigne y la mujer», y el «Sabio Frestón» de Don Quijote.

Quinta Presencia: Argentina y Brasil

Sigue el período sudamericano de Alfonso Reyes, centrado alternativamente en Buenos Aires y Río de Janeiro, con viajes oficiales al Uruguay y a Chile, abarcando los años de 1927 a 1939. Embajador mexicano en la Argentina y en el Brasil, Reyes, múltiple misionero de la cultura, ensancha nuevos horizontes continentales en su experiencia de mexicano y americano universal. Sudamérica, para él, es otra encrucijada de las culturas: de Norte a Sur, de Occidente a Oriente. Mirando la escena argentina y brasileña, sintetiza estas culturas en sus *Palabras sobre la nación argentina*, *Salutación al Brasil*, *El Brasil en una castaña*, cuyo título hace eco al *México en una nuez*, en que evoca a México desde la América del Sur. Su cordial empatía con el mundo lusobrasileño produce observaciones sobre la lengua portuguesa (Cfr. *Aduana lingüística* en este volumen) y encantadoras poesías y ficciones en prosa inspiradas en el escenario carioca. En el libro *Quince presencias*, recogerá deliciosas evocaciones costumbristas de paisajes y personajes brasileños. Y los ensayos de *Norte y Sur* irán relacionando el Brasil y la Argentina con México.

Pero Reyes desde Río y Buenos Aires se halla en el cruce de todas las corrientes de la cultura. Su «correo literario» o revista personal, *Monterrey*, redactado desde Sudamérica, refleja esta preocupación por todas

2

las culturas y por su constante intercomunicación. Aquí se comunica con amigos en todos los rincones del mundo, compartiendo e intercambiando intereses y observaciones culturales, haciendo continua interrelación de lo europeo con lo americano. De ahí surgen breves ensayos medulares que tratan de grandes europeos en relación con América: *Goethe y América, Saint-Simón y América, Virgilio y América, Roussea el Aduanero* (y pintor) *y México. Paul Morand en Río, Garibaldi y Cuba.* Ejemplo posterior de este tipo de ensayo es el *Alejandro de Humboldt* (1769-1859) de 1959 que figura en esta antología nuestra.

Preocupación constante para don Alfonso es el sentido y el sitio de América dentro de la cultura universal. Esto se refleja en una gran serie de discursos y conferencias que se recogerán como ensayos en *Ultima Tule* y *Tentativas y orientaciones* (OC, XI): «En el día americano», «El sentido de América», «Capricho de América», «Notas sobre la inteligencia americana», «Posición de América», que dan impulso a la afirmación de que Hispanoamérica está lista para tomar su lugar como adulto en la cultura mundial, y está lista no solamente para recibir de Europa, sino para dar o contribuir positivamente a la cultura universal.

Hecho curioso, en este momento en que Reyes alcanza alturas de generoso americanismo, es que entonces le acusa en México un compatriota (uno de los supernacionalistas de la cultura) de «evidente desvinculación de México», acusación absurda para este mexicano universal que ha traído a cuestas por todas partes su cariño y constante interés por su país.

Recordamos cómo desde España Reyes identificó su indeleble mexicanismo con los destinos universales, a propósito de la x, símbolo de la diferenciación mexicana de lo español (pues los españoles escriben *Méjico*, mientras los mexicanos suelen preferir la ortografía antigua, *México*) :

«*¡Oh, x mía, minúscula en ti misma, pero inmensa en las direcciones cardinales que apuntas: tú fuiste un crucero del destino!*» («Apuntes sobre Valle-Inclán», *Simpatías y diferencias, OC, IV*).

Y más tarde, en sus memorias *(Parentalia)* lo formulará así:

La raíz profunda, inconsciente e involuntaria, está en mi ser mexicano: es un hecho y no una virtud. No sólo ha sido causa de alegrías, sino también de sangrientas lágrimas. No necesito invocarlo en cada página para halago de necios, ni me place descontar con el fraude patriótico el pago de mi modesta obra. Sin esfuerzo mío y sin mérito propio, ello se revela en todos mis libros y empapa como humedad vegetativa todos mis pensamientos. Ello se cuida solo. Por mi parte, no deseo el peso de ninguna tradición limitada. La herencia universal es mía por derecho de amor y por afán de estudio y trabajo, únicos títulos auténticos.

Presencia de Reyes en «la Capilla Alfonsina»

Veinte años constituyen la última etapa de la vida de Alfonso Reyes. Terminada su carrera diplomática, regresa a la ciudad de México para radicarse allí definitivamente y pasar sus dos últimas décadas de «Turismo en la tierra» (Cfr. el ensayo de este título en esta antología), de 1939 a 1959. Haciéndose construir una casa en forma de «biblioteca con anexos», vive entregado plenamente a sus labores literarias y afines, desde aquella biblioteca bautizada «La Capilla Alfonsina» por su entrañable amigo español, Enrique Díez-Canedo, quien viene a vivir y luego morirá en México. Aquí culmina el proceso de la total identificación del escritor con su obra.

Al mismo tiempo, la presencia de don Alfonso es activísima en los altos niveles de la vida cultural mexicana, en el sentido más directo de la creación vital en sus instituciones. Don Alfonso toma la iniciativa para crear una gran institución de investigaciones humanísticas superiores: El Colegio de México, constituido oficialmente así en 1940. Con Antonio Caso es catedrático fundador de El Colegio Nacional, institución de alta cultura que reúne veinte catedráticos vitalicios, de los más distinguidos especialistas en sus respectivos ramos de la sabiduría, quienes ofrecen series de conferencias abiertas al público sin restricciones formales. También don Alfonso, como catedrático, ofrece en esta época seminarios en la Universidad Nacional de México y en Morelia. Aquí se revela al público el don Alfonso mago de la palabra oral, que encanta a sus oyentes con su doble don de ameno conversador e iluminador del conocimiento humano.

Alrededor de 1955, por iniciativa del cubano Félix Lizaso, se le rindieron a don Alfonso numerosos homenajes por sus «bodas de oro con la pluma» o cincuentenario de escritor. En 1957 fue elegido presidente de la Academia Mexicana de la Lengua. Más de una vez se le propuso para el premio Nobel de Literatura, aunque nunca le tocó definitivamente ese reconocimiento internacional: él mismo había pronosticado y opinado, «como decimos en viejo español, no caerá esa breva (ni sería justo)».

Estos son años de consolidación de su obra literaria y de publicación de grandes libros como los reunidos en torno a tres series de temas centrales: 1. La teoría literaria: *La experiencia literaria*, *El deslinde*, *Al yunque*. 2. El sentido de Hispanoamérica en la historia y en la cultura universales: *Ultima Tule*, *Tentativas y orientaciones*, *No hay tal lugar*... (OC, XI). 3. La cultura helénica y latina: *La crítica en la edad ateniense*, *Junta de sombras*, *La filosofía helenística*. Su productividad literaria de estas dos décadas es simplemente asombrosa, y don Alfonso inspira a todos por su conciencia del alto oficio de escritor como suprema actividad humana.

A propósito del helenismo tan vital en la obra de Alfonso Reyes, quienes le hayan supuesto encerrado en una esotérica torre de marfil que le aísle de su tierra o del mundo moderno, no lo han leído, simplemente: o hubieran visto cómo en *La crítica en la edad ateniense* traza paralelismos pertinentes con Cortés y la conquista de México o bien con las satíricas operetas de Offenbach; o en *Junta de sombras*, entre Aquiles y la estrategia del gaucho argentino. Siempre va Alfonso Reyes al fondo de lo humano y lo relaciona con el mundo total de la cultura. De ahí que estas grandes obras de erudición del sabio humanista, iluminadas por su chispa personal e intuición poética, sean accesibles al lector no especializado en la materia y le sirvan de llave mágica para entrar en ese vasto mundo.

¿Cómo enumerar siquiera todas las facetas y todos los productos de la pluma y de la mente de este humanista tan completo y fenomenal? Se nos escaparon sus estudios de autores ingleses como Stevenson y Chesterton, en *Grata compañía;* sus deliciosas traducciones de los cuentos policiales de Chesterton, *El candor del Padre Brown;* su historia de la literatura mexicana colonial, *Letras de la Nueva España;* y la sorprendente serie de ensayos de temas metafísicos recogidos especialmente en *Ancorajes* (1951) y en *Las burlas veras* (1957-1959).

Luego vienen *La X en la frente*, que lo incorpora oficialmente dentro del movimiento «México y lo mexicano»; *Memorias de cocina y bodega*, encantadoras reminiscencias del epicúreo literario; *Trayectoria de Goethe*, biografía espiritual del ingenio alemán; diversas series de miniaturas ensayísticas como *Marginalia* y *Las burlas veras; A campo traviesa*, variados ensayos de sus últimos años de labor activa (1952-1959); *El Polifemo sin lágrimas*, sonriente comentario del *Polifemo* de Góngora por su sosías don Alfonso, quien finge ser el propio Luis de Góngora, intérprete de los secretos de su arte poética; y así, por lo visto, infinitamente.

Pero el hombre, aunque alcance la inmortalidad, es mortal. A través de esta última década, el corazón de don Alfonso le viene dando llamadas y anuncios sucesivos de que la muerte lo espera y no esperará mucho más. (Cfr. su poema *Visitación*, de agosto de 1951, y *De turismo en la tierra*, 1954, ambos incluidos en esta colección.) De vez en cuando se aleja don Alfonso a Cuernavaca para dar reposo al corazón, a una altura menos extrema que la de la capital mexicana.

En mayo de 1959 le viene la llamada definitiva y nos deja el día 27 de diciembre de ese año. Ahora reposa en su sepulcro de la Rotonda de los Hombres Ilustres, en el Panteón Civil de Dolores, México, D. F. Doña Manuela, su esposa, ha venido a reposar ahí cerca en el mismo cementerio, tras un trágico accidente que la llevó en junio de 1965.

Séptima Presencia: El «Duende de la Alfonsina»

Casi diez años después de su muerte, todavía hay material inédito. Las *Obras completas*, puestas en marcha originalmente por el propio don Alfonso y ahora llevadas adelante por Ernesto Mejía Sánchez (en colaboración con doña Manuela, el doctor Alfonso hijo y la nieta Alicia Reyes, *Tikis*), han alcanzado dieciocho tomos hasta ahora. Han seguido las sorpresas póstumas, como la opereta *Landrú* estrenada en 1964, gracias a la iniciativa de «Doña Manuelita»; o *Los Héroes*, segunda parte de su *Mitología griega*, descubierto por Mejía Sánchez *(Obras completas, XVII,* 1965); media docena de cuentos y una serie de ensayos adicionales sobre Goethe y Mallarmé, aún no recogidos en volumen. Queda para un futuro tomo de las *Obras completas* una preciosa obra inédita que condensa toda la filosofía alfonsina del hombre: *Andrenio (perfiles del hombre)*, de la que hemos podido incluir un capítulo en esta antología. Parece que el espíritu de don Alfonso, el «Duende de la Alfonsina», sigue ahí trabajando.

Escuchemos a la nieta, Alicia Reyes:

Por las noches «la Alfonsina» parece transformarse, se deja penetrar por el silencio, un silencio diferente a cualquier otro. Una luz azul se filtra por los cristales, se posa en cada objeto. Todo es un sueño; poco a poco surgen Alfonso y Manuela:

De repente el crujir de la madera me hace pensar que ella está buscando el libro que él no puede alcanzar. Se remueven papeles sobre el escritorio, se ordenan dulcemente. Brotan cuartillas como flores, bajo la pluma incansable; nos hablan de México, de España (años difíciles), de Argentina, Brasil o de la bella Grecia; nos cuentan batallas y tristezas. La metafísica se esconde en temas aparentemente fáciles, todo está matizado de erudición sin alarde, todo es sensibilidad y humanismo; poesía en la más breve frase, Mallarmé, Goethe, Chénier, Nietzsche, Góngora, Ruiz de Alarcón, etc., miles de nombres y de temas desfilan ante mí clara y bellamente interpretados.

Recuerdo que algunas veces, abuelito decía que su biblioteca le daba la impresión de una piscina. Ahora comprendo que no es únicamente una piscina, sino un océano. Lo veo nadar libremente, cuidando con amor tantos tesoros, en continua búsqueda de la belleza. Tesoros son los libros, los juguetes o figurillas que nos hablan de ellos dos...

(«Los juguetes de Alfonso y Manuela», *Boletín Alfonsino*, Montevideo, Uruguay, número 1, invierno de 1966.)

Sea como sea, su presencia en las instituciones que él inspiró y en su inagotable obra literaria —que nos sirve siempre de nuevo aliciente en la aventura de la cultura completa— sigue eterna e imborrable, y don Alfonso seguirá siempre con nosotros.

Guía bibliográfica
a la obra literaria
de Alfonso Reyes

A) Obras principales de Alfonso Reyes

I. *Verso: Poesía lírica*

Huellas. México, Botas, 1922.

Pausa. París, Société Générale d'Imprimeurs et d'Editeurs, 1926.

Cinco casi sonetos. París, Poesía, 1931.

Romances del Río de Enero. Maestricht, Holanda, «Halcyon» (A. A. M. Stols), 1933.

A la memoria de Ricardo Güiraldes. Río de Janeiro, 1934.

Golfo de México. Buenos Aires, Francisco A. Colombo, 1934.

Yerbas del Tarahumara. Buenos Aires, Francisco A. Colombo, 1934.

Minuta. Maestricht, «Halcyon», 1935.

Infancia. Buenos Aires, Asteria, 1935.

Otra voz. México, Fábula, 1936.

Villa de Unión. México, Fábula, 1940.

Algunos poemas. México, Nueva Voz, 1941.

Romances (y afines). México, Stylo, 1945.

La vega y el soto. México, Editora Central, 1946.

Cortesía. México, Cvltvra, 1948.

Homero en Cuernavaca. México; «Abside», 1949, segunda edición (revisada y aumentada), México, Tezontle, 1952.

Obra poética (1906-1952). México, Fondo de Cultura Económica, 1952.

Nueve romances sordos. Tlaxcala, Huytlale, 1954.

Constancia poética (tomo X de las *Obras completas*: edición definitiva de su obra poética). México, Fondo de Cultura Económica, 1959.

27

II. *Verso: poesía lírico-dramática*

Ifigenia cruel. Madrid, Calleja, 1924. (Recogido en *OC, X.)*
Cantata en la tumba de Federico García Lorca. Buenos
Aires, Luis Seoane, 1937. (Recogido en *OC, X.)*
Landrú (opereta). Buenos Aires, 1929; México, 1953.
Revista de la *Universidad de México,* XVIII: 8 (abril,
1964), páginas 4-8. En *Cuarta antología de obras en un
acto,* México, Rafael Peregrina, Editor (Colección «Teatro
Mexicano»), 1965, páginas 45-57.

III. *Obra narrativa: Cuentos, relatos, ficciones, novelas cortas*

El plano oblicuo. Madrid, Tipografía «Europa», 1920.
El testimonio de Juan Peña. Río de Janeiro, Villas Boas,
1930.
La casa del grillo. México, B. Costa-Amic, 1945.
Verdad y mentira. Madrid, Aguilar, 1950. (Incluye *El plano
oblicuo.)*
Árbol de pólvora. México, Tezontle, 1953.
Quince presencias. México, Obregón, 1955.
Los tres tesoros. México, Tezontle, 1955.
«Silueta del indio Jesús», *Armas y Letras.* Monterrey, N.L.,
Segunda época, II: 1 (enero-marzo, 1959), páginas 5-8.
(Recogido en este libro).
«El Samurai», *Revista Iberoamericana,* XXXI: 59 (enero-
junio, 1965), páginas 118-122.
Vida y ficción. (Edición y prólogo de Ernesto Mejía Sánchez).
México. Fondo de Cultura Económica («Letras Mexi-
canas», 100), 1970.

IV. *Prosa ensayística (ensayos, monografías, memorias)*

Los «poemas rústicos», de Manuel José Othón. México,
Conferencias del Centenario, 1910. (Recogido en *OC, I).*
Cuestiones estéticas. París, P. Ollendorf, 1910-1911.
El paisaje en la poesía mexicana del siglo XIX. México,
Díaz de León, 1911. (Recogido en *OC, I).*
El suicida. Madrid, Colección Cervantes, 1917; segunda
edición, México, Tezontle, 1954.
Visión de Anáhuac. San José de Costa Rica, El Convivio,
1917; segunda edición, Madrid, Índice, 1923; cuarta

28

edición, México, El Colegio de México, 1953; séptima edición, México, Colección Epyolotli (Edic. Cult. Méx. de la Academia Cultural A. C.), 1962.

Cartones de Madrid. México, Cvltvra, 1917.

Retratos reales e imaginarios. México, Lectura Selecta, 1920.

Simpatías y diferencias, cinco volúmenes. (Volumen 4: *Los dos caminos.* Volumen 5: *Reloj de sol).* Madrid, E. Teodoro, 1921-1926, segunda edición, dos volúmenes, México, Porrúa, 1945.

El cazador. Madrid, Biblioteca Nueva, 1921; segunda edición, México, Tezontle, 1954.

Calendario. Madrid, Cuadernos Literarios, 1924; segunda edición, *Calendario y Tren de ondas*, México, Tezontle, 1945.

Cuestiones gongorinas. Madrid. Espasa-Calpe, 1927.

Fuga de Navidad. Buenos Aires, Viau y Zona (F. A. Colombo, 1929).

Discurso por Virgilio. México, Contemporáneos, 1931; segunda edición, Buenos Aires, Boletín de la Academia Argentina de Letras, 1937.

A vuelta de correo. Río de Janeiro, 1932. (Recogido en *OC, VIII).*

En el día americano, Río de Janeiro, 1932.

Atenea política. Río de Janeiro, 1932; segunda edición, Santiago de Chile, Pax, 1933.

Horas de Burgos. Río de Janeiro, Villas Boas, 1932.

Tren de ondas. Río de Janeiro, 1932; segunda edición, *Calendario y Tren de ondas*, México, Tezontle, 1945.

Voto por la Universidad del Norte. Río de Janeiro, 1933.

La caída. Río de Janeiro, Villas Boas, 1933.

Tránsito de Amado Nervo. Santiago de Chile, Ercilla, 1937.

Las vísperas de España. Buenos Aires, Sur, 1937.

Monterrey. «Correo Literario de Alfonso Reyes», Río de Janeiro-Buenos Aires, 1930-1937, 14 números.

Homilía por la cultura. México, El Trimestre Económico, 1938.

Aquellos días. Santiago de Chile, Ercilla, 1938.

Mallarmé entre nosotros. Buenos Aires, Destiempo, 1938; segunda edición, México, Tezontle, 1955.

Capítulos de literatura española (primera serie). México, La Casa de España en México, 1939.

La crítica en la edad ateniense. México, El Colegio de México, 1941.

Pasado inmediato y otros ensayos. México, El Colegio de México, 1941.

Los siete sobre Deva. México, Tezontle, 1942.

La antigua retórica. México, Fondo de Cultura Económica, 1942.

Ultima Tule. México, Imprenta Universitaria, 1942.

La experiencia literaria. Buenos Aires, Losada, 1942; segunda edición, Buenos Aires, Losada (Biblioteca Contemporánea), 1952.

El deslinde: prolegómenos a la teoría literaria. México, El Colegio de México, 1944.

Tentativas y orientaciones. México, Nuevo Mundo, 1944.

Dos o tres mundos. México, Letras de México, 1944.

Norte y Sur. México, Leyenda, 1944.

Tres puntos de exegética literaria. México, El Colegio de México *(Jornadas*, número 38), 1945.

Capítulos de literatura española (segunda serie). México, El Colegio de México, 1945.

Los trabajos y los días. México, Occidente, 1945.

Por mayo era, por mayo... México, Cvltvra, 1946.

A lápiz. México, Stylo, 1947.

Grata compañía. México, Tezontle, 1948.

Entre libros. México, El Colegio de México, 1948.

De un autor censurado en el «Quijote»: Antonio de Torquemada. México, Cvltvra, 1948.

Letras de la Nueva España. México, Fondo de Cultura Económica, 1948.

Sirtes. México, Tezontle, 1949.

De viva voz. México, Stylo, 1949.

Junta de sombras. México, El Colegio Nacional, 1949.

Tertulia de Madrid. México-Buenos Aires, Espasa-Calpe (Colección Austral), 1949, 1950.

Cuatro ingenios. México-Buenos Aires, Espasa-Calpe (Colección Austral), 1950.

Trazos de historia literaria. México-Buenos Aires, Espasa-Calpe (Colección Austral), 1950.

Medallones. México-Buenos Aires, Espasa-Calpe (Colección Austral), 1951.

Ancorajes. México, Tezontle, 1951.

La X en la frente. México, Porrúa y Obregón (Serie «México y lo mexicano», número 1), 1952.

Marginalia (primera serie, 1946-1951). México, Tezontle, 1952.

Memorias de cocina y bodega. México, Tezontle, 1953.

Dos comunicaciones. México, Memoria del Colegio Nacional, 1953.

Trayectoria de Goethe. México: Fondo de Cultura Económica (Breviarios), 1954.

Parentalia. México, Los Presentes, 1954 (Edición parcial y limitada). *Parentalią: primer libro de recuerdos,* México, Tezontle, 1958-1959. (Edición aumentada y definitiva).

Marginalia (segunda serie, 1909-1954). México, Tezontle, 1954.

Las burlas veras (primer ciento). México, Tezontle, 1957.

Estudios helénicos. México, El Colegio Nacional, 1957.

La filosofía helenística. México, Fondo de Cultura Economica (Breviarios), 1959.

Marginalia (tercera serie, 1940-1959). México, «El Cerro de la Silla», 1959.

Las burlas veras (segundo ciento). México, Tezontle, 1959.

A campo traviesa. México, «El Cerro de la Silla», 1960.

Al yunque (1944-1958). México, Tezontle, 1960.

La afición de Grecia. México, El Colegio Nacional, 1960.

Albores: segundo libro de recuerdos. («Crónica de Monterrey, I»). México, «El Cerro de la Silla», 1960.

El Polifemo sin lágrimas. Madrid, Aguilar, 1961.

Oración del 9 de febrero. México, Ediciones Era, 1963.

Anecdotario. (Prólogo por Alicia Reyes). México, Ediciones Era, 1968.

Diario (1911-1930). (Prólogo de Alicia Reyes. Nota del doctor Alfonso Reyes Mota). Guanajuato, Universidad de Guanajuato, 1969.

V. *Obras completas de Alfonso Reyes*

México, Fondo de Cultura Económica (Serie «Letras Mexicanas»), 19 volúmenes, entre 1955 y 1968.

VI. *Antologías recientes de la obra de Alfonso Reyes*

Antología. México, Fondo de Cultura Económica (Colección Popular), 1963. (Contiene: *Visión de Anáhuac,*

La cena, *Apolo o de la literatura*, *De la lengua vulgar*, *Ifigenia cruel*, selección de poesías).

Antología de Alfonso Reyes. Selección y prólogo de José Luis Martínez. México, B. Costa-Amic (Secretaría de Educación Pública, Colección «Pensamiento de América»), 1965. (Contiene: ensayos sobre temas americanos).

Universidad, política y pueblo. Nota preliminar, selección y notas de José Emilio Pacheco. México, Universidad Nacional Autónoma de México (Serie «Lecturas Universitarias», Dirección General de Difusión Cultural), 1967. (Contiene: memorias y ensayos sobre temas indicados por el título).

VII. *Colecciones de la obra de Alfonso Reyes traducidas al inglés*

The Position of America and other essays. Selected and translated by Harriet de Onís. Foreword by Federico de Onís. New York, Alfred A. Knopf, 1950.

Mexico in a Nutshell and other essays. Translated by Charles Ramsdell. Foreword by Arturo Torres-Rioseco. Berkeley-Los Angeles, University of California Press, 1964.

VIII. *Grabación de la voz de Alfonso Reyes*

Alfonso Reyes. Serie «Voz viva de México». México: Universidad Nacional Autónoma de México, 1960. Presentación por José Luis Martínez. (Folleto ilustrado, con los textos de las obras leídas por Alfonso Reyes: *Visión de Anáhuac, Ifigenia cruel)*. (Dos discos).

B) SOBRE ALFONSO REYES

IX. *Volúmenes de homenaje a Alfonso Reyes*

Cada uno de estos volúmenes contiene numerosos artículos completos sobre Alfonso Reyes y su obra:

IDUARTE, Andrés; FLORIT, Eugenio, y BLONDET, Olga: *Alfonso Reyes: vida y obra-bibliografía-antología*. New York, Hispanic Institute in the United States, 1956-1957.

RANGEL GUERRA; Alfonso y RENDÓN, José Angel: *Páginas sobre Alfonso Reyes*. Monterrey, Universidad de Nuevo León, dos volúmenes, 1955 y 1957.

Universidad Nacional Autónoma de México (Ed. de A. Monterroso y E. Mejía Sánchez): *Libro jubilar de Alfonso Reyes*. México, UNAM (Dirección General de Difusión Cultural), 1956.

El Colegio Nacional a Alfonso Reyes (uno de sus miembros fundadores) en su cincuentenario de escritor. México, El Colegio Nacional, 1956.

Presencia de Alfonso Reyes (homenaje en el X aniversario de su muerte, 1959-1969). (Introducción de Alicia Reyes). México, Fondo de Cultura Económica, 1969.

X. *Estudios sobre Alfonso Reyes (libros)*

OLGUÍN, Manuel: *Alfonso Reyes, ensayista: vida y pensamiento*. México, Ediciones de Andrea (Colección Studium), 1956.

ROBB, James Willis: *El estilo de Alfonso Reyes*. México-Buenos Aires, Fondo de Cultura Económica, 1965. (Contiene una bibliografía más completa de otros estudios sobre Alfonso Reyes).

3

Tres narraciones

> Necesito cortar constantemente mi narración con desarrollos ideológicos. Yo sería un pésimo novelista. Mucho más que los hechos, me interesan las ideas a que ellos van sirviendo de símbolos o pretextos.
>
> A. R:, «La fea». Verdad y mentira, Quince presencias.

Alfonso Reyes confiesa su falta de vocación como novelista de largo aliento. Pero como narrador posee las virtudes de sus defectos: Las mismas cualidades que lo alejan de la novela extensa lo consagran como un admirable cuentista y maestro del relato breve. Sobresale Reyes en la ficción imaginativa llena de chispas de poesía y de leve humorismo y en el relato autobiográfico transformado en cuento por la visión artística. Aquí ofrecemos dos de tales relatos autobiográficos, ambos de tema indigenista, y un cuento puramente fantástico en que se entrelazan cuento y ensayo en la forma digresiva señalada por don Alfonso.

El testimonio de Juan Peña

Quise recoger en este relato el sabor de una experiencia que interesa a los de mi tiempo, antes de que mis recuerdos se confundan, y mientras llego a la hora —al remanso— de las memorias fieles.

Lo dedico a los dos o tres compañeros de mi vida que estudiaban conmigo la Ética, de Spinoza[1], en la azotea de cierta casa de México, allá por los años de mil novecientos y tantos.

Madrid, 1923
A. R.

I

El último correo de México me trajo una carta de Julio Torri[2] que comienza así:

«¿Te acuerdas de Juan Peña, un vagabundo que lloriqueaba y nos besaba las manos por las calles de Topilejo[3], en época distante de que vivo siempre saudoso?»

Estas palabras abrieron en mí una senda de recuerdos. Suspensas en la malla del alma, sentí palpitar otra vez ciertas emociones ya sin objeto.

---

[1] *Baruch Spinoza*. Filósofo holandés del siglo XVII (1632-1677), autor de la *Ethica more geometrico*.

[2] *Julio Torri*. Compañero generacional de Reyes, nacido en el mismo año de 1889 (muerto en 1970); miembro con él del Ateneo de la Juventud y cuentista-ensayista. (Cfr. sus *Tres libros*, México, Fondo de Cultura Económica, 1964.)

[3] *Topilejo*. Pueblecito mexicano, a poca distancia de México, D. F., entre el camino de Xochimilco y la carretera de Cuernavaca.

—Ya está poblada de visiones la estancia. ¿Qué hacer? ¿Cedo a los halagos de este abandono o me decido a matar definitivamente a mis muertos?

—Hay que tener valor, me digo. Y me dispongo, nuevo Odiseo [4] en los infiernos, a que los espectros se animen con mi sangre. Me arrellano en la butaca, entrecierro los ojos, enciendo la pipa y dejo caer la voluntad.

Pero hay un último vuelco en la relojería secreta de mi corazón, y me echo a la calle como quien huye de unos invisibles perseguidores.

El pájaro de Madrid empolla una hora exquisita. En el aburrimiento de luz, bailan las ideas y las moscas. Los recuerdos vienen escoltándome, apresuran conmigo el paso y conmigo cambian de acera. Al subir la calle de Alcalá, ya no era yo dueño de mis ojos.

—Es inútil —exclamo enfrentándome con mis fantasmas—. Os pertenezco.

II

Yo estudiaba entonces el segundo año de Leyes, como allá decimos. Pero por una costumbre que data, al menos, del siglo de Ruiz de Alarcón [5], ya me dejaba yo llamar por la gente: «señor licenciado» [6].

—Vengo, pues, a verlo, señor licenciado —me dijo Morales, transcurrido el primer instante de desconcierto—, para pedir a su merced que se dé un paseíto por el pueblo y, sobre el terreno, se haga cargo de la situación.

---

[4] *Odiseo (o Ulises)*. Héroe legendario de Grecia, protagonista de la *Odisea*, de Homero.

[5] *Juan Ruiz de Alarcón*. Dramaturgo mexicano del Siglo de Oro español (c. 1580-1639). Se refiere en sus comedias a la vida de los estudiantes de leyes. La cita que viene después es de *La verdad sospechosa*, I:2 (170-176), según la edición del propio Alfonso Reyes (*Clásicos castellanos*, núm. 37).

[6] *...señor licenciado*, título de un abogado.

(¡La situación! El compromiso de esta palabra tan seria, tan vulgar, tan honradota y buena, suscita un escrúpulo en mí. ¿Estoy yo «a la altura de la situación» siquiera? Este hombre lleno de intenciones precisas, que cree en mi ciencia precoz o, al menos, en las ventajas de mi posición social, ¿me hallará verdaderamente digno de su confianza? ¿Quién soy yo, hijo privilegiado de la ciudad, arropado entre lecturas y amigos refinados, para quien todavía la vida no tiene más estímulos que las paradojas y los amores; qué valgo yo para confesor de este hombre del campo, cargado de sol y de venenos silvestres, emisario de pasiones que yo no conozco ni apetezco? Porque yo, en mi universidad, en mi escuela...

...En Salamanca, señor,
son mozos, gastan humor,
sigue cada cual su gusto;
hacen donaire del vicio,
gala de la travesura,
grandeza de la locura:
hace, al fin, la edad su oficio.

—Esa señorita —continúa Morales, ignorante de lo que pasa por mí—, se ha dejado desposeer de la manera más inicua, y tenemos ahora el deber de protegerla. Yo le aseguro que Atienzo, el alcalde, es un hombre sin entrañas.

Y yo, recobrándome, resuelto ya a hacer de hombre providencial, le digo:

—Pero, señor comisario: esa señorita ¿no ha tenido quien la aconseje, o es ignorante hasta ese punto?

—Yo la llamo señorita —aclaró Morales—; pero el señor licenciado no debe equivocarse: la pobrecita anda con un niño a cuestas y es una muchacha de pie a tierra, ignorante.

Mi afición folklórica, desperezada alegremente por la pintoresca frase del comisario, me hace preguntar, ya con verdadero interés:

—¿Ha dicho usted: «de pie a tierra»?

—Quiero decir que es una pobre indita descalza.

Yo tomo un apunte, más bien filológico que jurídico. Y, por el campo de mi cinematógrafo interior, veo pasar a una pobre india descalza, trotando por un camino polvoso, con ese trotecito paciente que es un lugar común de la sociología mexicana, liadas las piernas en el refajo de colorines, y el fardo infantil a la espalda, de donde sobresale una cabecita redonda.

—Iré, señor Morales, iré. Pasado mañana llegaré al pueblo, acompañado de mis dos secretarios.

Al hablar de mis dos secretarios yo mentía piadosamente, por decoro. Mi rústico quedaría sin duda más satisfecho ante este alarde de solemnidad. No habían de faltarme dos alegres compañeros para aquel paseo campestre. Casualmente, Morales había venido a verme, comprendiendo que en su pequeño negocio no podría interesarse un verdadero abogado y buscando el arrimo de mis influencias familiares, en momentos en que, ausente mi hermano, yo me había instalado en su suntuoso despacho. A Morales le pareció muy bien aquel peso de cortinas y muebles que contrastaban con mi juventud y mi vivacidad de estudiante. Se sintió cohibido y confortado, como ante un ejemplar humano de naturaleza superior a la suya. Y poco a poco, con un esfuerzo en que yo traslucía un placer, me fue contando la historia de un despojo vulgar.

En mi inexperiencia, en mi pureza científica de los veinte años, yo me figuré al principio que se trataba de un problema profesional. Pero, cuando Morales hubo acabado su relato —su artero relato, tan falso como mi comedia de gravedad y mi estudio lleno de sillones y librerías— comprendí que la pobre india descalza venía a ser como el proyectil con que se tiraban a la cara los dos bandos del pueblo: el del alcalde y el del comisario. Yo tomé partido por este último, puesto que acudía a mi valimiento, y en estas rencillas nadie tiene completamente razón o todos la tienen en parte: «*Todos tenemos razón / porque ninguno la tiene*» (Sor Juana Inés de la Cruz)[7].

No me juzguéis severamente. Yo necesitaba una aventura; lo esencial, para mí como para Don Quijote, era intentar de una vez una primera salida. Además, ha pasado el tiempo, y a la luz de mi escepticismo de hoy, acaso calumnio a mi juventud.

Entregué a Morales su sombrero —un hermoso y pesado sombrero charro, negro con labores de plata, que, en su asombro y no sabiendo dónde colgarlo, mi visitante había colocado cuidadosamente a modo de tapadera de un cesto de papeles— y estreché su mano sin tacto.

III

Aquella mañana me sonreía con la placidez que sólo tiene el cielo de México. Allí el sol madruga a hacer su oficio, y dura en él lo más que puede.

Cielo diligente, cielo laborioso el de México; cielo municipal, urbanizado y perfecto, que cumple puntualmente con sus auroras, no escatima nunca sus crepúsculos, pasa revista todas las noches a todas sus estrellas y jamás olvida que las lluvias se han hecho para refrescar las tardes del verano, y no para encharcar las de invierno. No sé en qué estación del año nos encontrábamos, ni hace falta saberlo, porque en aquel otoño medio los árboles florecen con una continuidad gustosa y los mismos pájaros cantan las mismas canciones a lo largo de trescientos sesenta y cinco días.

El tren nos dejó en Ajusco, donde nos esperaba un indio con tres caballos. Media hora larga de trote,

---

[7] *Sor Juana Inés de la Cruz* (1648-1695). Monja y poetisa mexicana de gran ingenio intelectual, figura cumbre del período barroco de la cultura colonial.

y en el aire diáfano, ya purificado por la nieve del
volcán vecino, bajo el cobijo de unas colinas pardas
y verdes, apareció el pueblecito como un tablero de
casitas y jacales blancos, todos iguales. Pronto nota-
mos una animación que parecía desusada. Los indios,
vestidos de blanco, formaban grupos expectantes.
Y cuando entramos en el patio del comisario Morales, entre piafar de caballos y ruido de espuelas, una
verdadera muchedumbre se quedó a la puerta con-
templándonos.

¿Qué esperanzas ponían en nosotros aquellas almas
sufridas y elementales? ¿Qué responsabilidad con-
traíamos con hacer de embajadores de la justicia entre
hombres perseguidos? Las caras morenas de los indios,
apacibles y dulces, fueron corrigiendo nuestro ánimo,
perfeccionaron nuestra voluntad; y cuando Morales,
quitándose el ancho sombrero con ambas manos, vino
a nuestro encuentro, ya con un cambio de miradas
nos habíamos puesto de acuerdo en que no debíamos
fingir, en que aquello era cosa seria y sagrada, en
que era de buena ley aceptar las reglas de la partida.
A dos pasos de nuestra frivolidad ciudadana, el campo
nos estaba esperando, lleno de dolores y anhelos.
Los indios descalzos nos miraban confiadamente, sin
hacer caso de nuestros pocos años, seguros de con-
vertirnos en hombres al solo contacto de su pureza.

IV

¿Cómo explicarlo? Los muchachos de mi generación éramos —digamos— desdeñosos. No creíamos
en la mayoría de las cosas en que creían nuestros
mayores. Cierto que no teníamos ninguna simpatía
por Bulnes [8] y su libro *El verdadero Juárez*. Cierto

---

[8] *Francisco Bulnes* (1847-1924). Político y sociólogo mexicano
del grupo positivista contra el que reaccionaron Reyes y los de
su generación.

que no penetrábamos bien los esbozos de revaloración que algún crítico de nuestra historia ensayaba en su cátedra, hasta donde se lo consentía aquella atmósfera de Pax Augusta[9]. Pero comenzábamos a sospechar que se nos había educado en una impostura. A veces abríamos la historia de Justo Sierra[10], y nos asombrábamos de leer, entre líneas, atisbos y sugestiones audaces —audacísimos para aquellos tiempos, y más en la pluma de un ministro—. El positivismo mecánico de las enseñanzas escolares se había convertido en rutina pedagógica, y perdía crédito a nuestros ojos. Nuevos aires nos llegaban de Europa. Sabíamos que la matemática vacilaba, y que la física ya no se guardaba muy bien de la metafísica. Lamentábamos la paulatina decadencia de las humanidades en nuestros programas de estudio. Poníamos en duda la ciencia de los maestros demasiado brillantes y oratorios que habían educado a la inmediata generación anterior. Sorprendíamos los constantes flaqueos de la cultura en los escritores «modernistas» que nos habían precedido, y los académicos, más viejos, no podían ya contentarnos. Nietzsche[11] nos aconsejaba la vida heroica, pero nos cerraba las fuentes de la caridad. ¡Y nuestros charlatanes habían abusado tanto del tópico de la redención del indio! Sabíamos que los tutores de nuestra política —acaso con la mejor intención— nos habían descastado un poco, temerosos de que el tacto de codos con el resto de la América española nos permitiera adivinar que nuestro

---

[9] *Pax Augusta*. La paz artificial del régimen del presidente Porfirio Díaz (1830-1915, presidente entre 1877 y 1911) en vísperas de la Revolución Mexicana que brotó en 1910.

[10] *Justo Sierra* (1848-1912). Historiador, escritor y educador moderno, ministro de Instrucción Pública bajo Porfirio Díaz y creador de la Escuela de Altos Estudios en la Universidad Nacional.

[11] *Friedrich Nietzsche* (1844-1900). Filósofo alemán, entonces de moda en Europa, famoso por su concepto del superhombre.

pequeño mundo, de hecho aristocrático y monárquico, apenas se mantenía en un equilibrio inestable. O acaso temían que la absorción repentina de nuestro pasado —torvo de problemas provisionalmente eludidos— nos arrojara de golpe al camino a que pronto habíamos de llegar: el de la vida a sobresaltos, el de las conquistas por la improvisación y hasta la violencia, el de la discontinuidad en suma: única manera de vida que nos reservaba el porvenir, contra lo que hubieran querido nuestros profesores evolucionistas y spencerianos[12].

A dos pasos de la capital, nuestra vaga literatura, nuestro europeísmo decadente, daban de súbito con un pueblecito de hombres morenos y descalzos. Las cumbres nevadas asean y lustran el aire. El campo se abre en derredor, con sus hileras de magueyes[13] como estrellas. Las colinas, pardas y verdes, prometen manantiales de agua que nunca pueden llegar al pueblo, porque el trabajo de cañería perturba quién sabe qué sórdidos negocios de un alcalde tiránico. Las espaldas de los indios muestran a veces cicatrices. Y nuestra antigua Constitución —poema jacobino[14] fraguado entre los relámpagos de la otra guerra civil, y nutrido en la filosofía de los Derechos del Hombre— comienza así:

«En la República todos nacen libres. Los esclavos que pisen el territorio nacional recobran, por ese solo hecho, su libertad.»

Julio, Mariano y yo tuvimos aquí el primer presentimiento...

---

[12] *spencerianos*, seguidores del filósofo inglés Herbert Spencer (1820-1903), positivista y evolucionista.

[13] *maguey*, variedad mexicana de pita o agave.

[14] *jacobino*, inspirado en los principios del partido demagógico de ese nombre, de la Revolución Francesa.

V

La indita se nos acercó, azorada. La cara, redonda y chata, era igual a todas las caras que veíamos. Las dos trenzas negras caían por sus hombros, tejidas con unos cordones amarillos. Llevaba en los brazos, y colgada al cuello en el columpio del «rebozo»[15] café, una criatura rechoncha que berreaba y le buscaba los senos con pies y manos. La camisa, blanca y deshilada. El «zagalejo», rojo y verde. Los pies —en nuestro honor sin duda— calzados con huaraches[16] nuevos.

Prefirió dejar hablar a Morales, y se limitó a subrayar las declaraciones de éste con frecuentes signos afirmativos y aquella irrestañable gotita: «sí, siñor; sí, siñor», que caía de tiempo en tiempo, aguda y melosa.

Hice esfuerzos por interrogarla directamente, pero ella se replegó en esa fórmula estoica, dura, peor que el mutismo, a que acuden siempre los indios ante las preguntas del juez:

—Yo ya dije.

—Pero ¿qué dijiste, muchacha, si apenas has hablado?

—Yo ya dije.

VI

—José Catarino —interrumpió Morales, dirigiéndose a nuestro guía— lleva tú al señor licenciado hasta el terrenito, para que vea cómo colinda con las propiedades del señor Atienzo. Más vale que yo no los acompañe: no sea que tengamos un disgusto o un mal encuentro.

Nunca olvidaré las emociones con que recorrí aquella calle. Mis dos secretarios, para no quitarme au-

---

[15] *rebozo*, tipo de mantilla mexicana.
[16] *huarache*, tipo de sandalia mexicana.

toridad, iban tomando nota de cuanto me decía aquella gente. Por todo el camino nos fueron saliendo al paso los indios en masa. Se arrancaban precipitadamente los sombreros de palma, y casi se arrojaban a nuestros pies, gritando:

—Nos pegan, jefecito; nos roban; nos quieren matar de hambre, jefecito. No tenemos ni dónde enterrar a nuestros muertos.

Al acercarnos al terreno en disputa, la naturaleza se encabritó de pronto; alzó sus ejércitos de órganos, echó sobre nosotros la caballería ligera de magueyes con púas y alargó, con exasperación elocuente, las manos de la nopalera que fingían las contorsiones de alguna divinidad azteca de múltiples brazos.

Enmarcada por aquella vegetación sedienta y gritante, resaltando sobre el cielo neutro, vimos la silueta de un hombre esbelto, inmóvil, envuelto en un sarape índigo que casi temblaba de luz. No llevaba sombrero, ni lo necesitaba seguramente: un matorral negro, despeinado de viento, se le mecía en la frente y a poco le invadía las cejas. Era Juan Peña, el vagabundo. No se le notaban los años a aquel bronce de hombre, a no ser por las rayas negras de las arrugas que por todas partes le partían la cara y aflojaban la piel en una cuadrícula irregular.

—Este señor es viejo —me dijeron los quejumbrosos indios—. Él ha visto más que nosotros. Él le contará todo.

Y, con una agilidad de danzante, como si representara de memoria un papel, Juan Peña se arrodilló ante nosotros, se puso a llorar, a besuquearnos las manos, a contarnos mil abusos e infamias del mal hombre que había en el pueblo y a pedirnos protección a los blancos, como si fuéramos los verdaderos Hijos del Sol [17].

_____

[17] *Hijos del Sol.* Referencia a las creencias mitológicas de los indígenas mexicanos.

VII

Nuestro gusto literario no nos permitía engañarnos. Conmovidos, sí; pero no para perder las medidas. Aquello bien podía ser una farsa. Juan Peña había pasado de la inmovilidad hierática al temblor epiléptico con la exactitud del venado sorprendido que, de pronto, disparara el galope.

Comedia por comedia, nosotros no teníamos derecho a quejarnos. ¿No hacíamos, a nuestra vez, de dispensadores del buen tiempo y la lluvia? Todos íbamos desempeñando el papel a nuestro modo.

Los extremos y lamentos del vagabundo nos trasladaron, súbitamente, a nuestro ambiente ciudadano; lograron disipar del todo nuestra emoción. Eso fue lo que ganó Juan Peña.

Las cosas habían llegado a tal término de teatralidad, que no pude menos de «tomar la palabra». Improvisé un pequeño discurso, con algunas vaguedades y consejos prudentes, y acabé con la célebre frase —no comprometedora— de Porfirio Díaz: «Hay que tener fe en la justicia.»

Pero en mi interior, yo procuraba sacar en limpio el tanto de la sinceridad de Juan Peña, y me decía:

—¿Qué derecho tengo yo para aplicar a estos hombres las convenciones mímicas de mi sociedad? Todos, en cierta medida, hacemos la farsa, la traducción, la falsificación de lo que llevamos dentro, al tratar de comunicarlo. Los procedimientos pueden variar, eso es todo. Los indios tienen, para nuestro gusto, un alambicamiento exagerado. O nos parecen demasiado impasibles, o demasiado expresivos. Este atropellado discurso de circunloquios, frases de cortesía y diminutivos que parecen disimular la fuerza o la grosería de las acusaciones, ¿no responde tal vez a los cánones de una retórica social que yo ignoro? ¿No es, al parecer, la expresión más aguda de lo que todo el pueblo me viene diciendo hace rato? Y no se soborna a todo un pueblo, y menos a la vista del enemigo.

Porque, en efecto, el enemigo —lo comprobé después— estuvo acechando nuestro paso, sin querer salir de su reducto. Pero dos o tres indios avizores lo vieron asomarse a su puerta, y se quedaron a la retaguardia, disimulados por las esquinas o confundidos con la tierra y el aire —con ese mimetismo admirable de la raza que vive pegada al suelo— dispuestos a dar la alarma al menor indicio amenazador. Pero no: Atienzo, el voluminoso Atienzo —a quien al cabo me mostraron de lejos, vuelto de espaldas— se guardó bien de provocar la cólera divina.

VIII

Cuando volvimos a almorzar traíamos una mezcla de sentimientos contrarios. Y, superado el trance difícil, nos sentíamos otra vez inclinados a la travesura.

Mariano hacía la voz campanuda, y se dirigía a mí en el castellano viejo de las Leyes de Indias [18]. Julio hacía la voz meliflua, y hablaba traduciendo literalmente los modismos franceses. Yo, el menos ingenioso, me divertía en darles muchas órdenes, que ellos se apresuraban a cumplir o a apuntar en un cuaderno de acuerdos. Esta estrategia acabó de establecer mi prestigio.

Julio y Mariano se sentaron a las cabeceras, y frente a frente nos instalamos el comisario y yo. Ya sabe lo que comimos el que haya probado la mesa mexicana. El tónico del picante y los platos calientes excitaron nuestro buen humor. Dimos los restos del festín a Juan Peña, que se había quedado a la puerta, tendido al sol y dormido sobre su sarape. Y Mariano,

---

[18] *Leyes de Indias.* Las leyes promulgadas por la Corona española para sus colonias en las Indias.

de sobremesa, emprendió una disertación sobre las diversas clases del frijol, con que convenció al comisario de que también entendía de cosas útiles y no era tan «catrín» [19] como parecía.

Yo le di seguridades al comisario. Nos despedimos del pueblo y cabalgamos hacia Ajusco, pardeando la tarde.

Hora de exprimir la lección del día y sacar el fruto de la meditación, como San Ignacio lo aconsejaba. El caballo, que ni se resigna al paso ni se decide al galope, trota pesadamente, con un trote provisional e incómodo, nada adecuado a nuestra montura mexicana. Nos envuelve la quietud del campo, cortada por cantos distantes, agudos y en falsete, y coreada de cerca por la sinfonía de las ranas. Revisamos las etapas de la jornada, desde la hora en que los dos amigos, despertados por la mañana a toda prisa, bajaron las escaleras, casi despeñados, para acudir a mi llamamiento, hasta la hora en que la mano sorda nos dio el apretón de la despedida y del pacto.

Con la noche que se avecina, el campo va echando del seno tentaciones inefables de combate y de asalto. Caemos sobre la estación como en asonada. ¿Quién que ha cabalgado la tierra mexicana no sintió la sed de pelear? Oscuros dioses combativos fraguan emboscadas de sombra, y tras de los bultos del monte, parece que acechan todavía al hombre blanco las huestes errantes del joven Jicoténcatl [20]. ¡Hondo rumoreo del campo, latiente de pesuñas de potro, que se acompaña y puntúa tan bién con el reventar de los balazos!

Madrid, 1923 (*Verdad y mentira*, 1950; *Quince presencias*, 1955).

---

[19] *catrín*. (México) Afectadamente elegante.
[20] *Jicoténcatl (o Xicoténcatl)*. Joven indio tlaxcalteca que resistió heroicamente a las fuerzas de Cortés en la conquista de México por los españoles.

Silueta del indio Jesús

Vino el día en que el indio Jesús, a quien yo encontré en no sé qué pueblo, se me presentara en México muy bien peinado, con camisa nueva y sombrero de lucientes galones, a la puerta de mi casa. Sólo el pantalón, habido a última hora en sustitución del característico calzón blanco, para que lo dejaran circular por la ciudad los gendarmes, desdecía un poco de su indumento. Había resuelto venir a servir a la capital —me dijo— y dejar la vida de holganza. No contaba el tiempo para Jesús. Recomenzaba su existencia después de medio siglo con la misma agilidad y flexibilidad de un muchacho.

—¿Pero tú qué sabes hacer, Jesús?

Jesús no quiso contestarme. Presentía vagamente que lo podía hacer todo. Y yo, por instinto, lo declaré jardinero, y como tal le busqué acomodo en casa de mi hermano.

Aquel vagabundo mostró, para el cuidado de las plantas, un acierto casi increíble. Era capaz de hacer brotar flores bajo su mirada, como un fakir. Desterró las plagas que habían caído sobre los tiestos de mi cuñada. Todo lo escarbó, arrancó y volvió a plantar. Las enredaderas subieron con ímpetu hasta las últimas ventanas. En la fuente hizo flotar unas misteriosas flores acuáticas. De vez en vez salía al campo y volvía cargado de semillas. Cuando él trabajaba en el jardín había que emboscarse para verlo; de otro modo, suspendía la obra y decía: «que ansina no podía trabajar», y se ponía a rascarse la greña con un mohín verdaderamente infantil.

4

Y las bugambilias extendían por los muros sus mantos morados, las magnolias exhalaban su inesperado olor de limón; las delicadas begonias rosas y azules prosperaban entre la sombra, desplegando sus alas; los rosales balanceaban sus coronas; las mosquetas derramaban aroma de sus copitas blancas; las amapolas, los heliotropos, los pensamientos y nomeolvides reventaban por todas partes. Y la cabeza del viejo aparecía a veces, plácida, coronada de guías vegetales como en las fiestas del Viernes de Dolores[1] que celebran los indios en las canoas y chalupas del Canal de la Viga[2].

¡Qué bien armonizan con la flor la sonrisa y el sollozo del indio! ¡Qué hechas, sus manos, para cultivar y acariciar flores! De una vez Jesús, como su remoto abuelo Juan Diego[3], dejaba caer de la tilma —cualquier día del año— un paraíso de corolas y hojas. Parecían creadas a su deseo: un deseo emancipado ya de la carne transitoria y vuelto a la sustancia fundamental, que es la tierra.

Jesús sabía deletrear y, con sorprendente facilidad, acabó por aprender a leer. El esfuerzo lo encaneció poco a poco. Comenzó a contaminarse con el aire de la ciudad. La inquietud reinante se fue apoderando de su alma. Él, que conocía de cerca los errores del régimen, no tuvo que esforzarse mucho para comprender las doctrinas revolucionarias, elementalmente interpretadas según su hambre y su frío. A veces llegaba tarde al jardín, con su elástico paso de danzan-

---

[1] *Viernes Santo.* Como preludio de la Semana Santa se celebran en esta fecha unas famosas fiestas florales.

[2] *Canal de la Viga.* Canal de la ciudad de México que sigue la ruta de una de las antiguas calzadas que unían la ciudad indígena de Tenochtitlan a tierra firme. (Véase la descripción de Reyes en *Visión de Anáhuac.)*

[3] *Juan Diego.* El indio mexicano a quien se apareció la Virgen de Guadalupe hacia 1531. La Virgen, en invierno, le mandó llevar en su tilma (una manta de algodón mexicana) al obispo unas rosas que cayeron al suelo, revelando en la tilma la imagen de la Virgen.

te, sobre aquellas piernas de resorte hechas para el combate y el salto, aunque algo secas ya por la edad.

Es que Jesús se había afiliado en el partido de la revolución y asistía a no sé qué sesiones. Yo vi brillar en su cara un fuego extraño. Comenzó a usar de reticencias. No nos veía con buenos ojos. Éramos para él familia de privilegiados, contaminada de los pecados del poder. A él no se le embaucaba, no. Harto sabía él que no estábamos de acuerdo con los otros poderosos, con los malos; pero, como fuere, él sólo creía en los nuevos, en los que habían de venir. A mí, sin embargo, «me tenía ley», como él decía, y estoy seguro de que se hubiera dejado matar por mí. Esto no tenía que ver con la idea política.

Una tarde, Jesús depuso la azada, se quitó el sombrero, me pidió permiso para sentarse en el suelo, diciendo que estaba muy cansado, y luego dejó escapar unas lágrimas furtivas. Comprendí que quería hablarme. Siempre, en él, las lágrimas anunciaban las palabras. Había una deliciosa dulzura en sus discursos, una quejumbre incierta, un ansia casi amorosa de llanto. Era como si pidiera a la vida más blanduras. Hubiera sido capaz de reñir y matar sin odio: por obediencia, o por azar. Porque el indio mexicano se roza mucho con la muerte. Caricia, ternura había en sus ojos cierto día que tuvo un encuentro con un carretero. Éste acarreaba piedras para embaldosar el corral del fondo. Yo los sorprendí en el momento en que Jesús asió el sombrero como una rodela, dio hacia atrás un salto de gallo, y al mismo tiempo sacó de la cintura el cuchillo —el inseparable «belduque»[4]— con una elegancia de saltarín de teatro. Yo lo oí decir, con una voz fruiciosa y cálida:

—¡Hora sí, vamos a morirnos los dos!

Costó algún trabajo reconciliarlos. Pero hubo que alejar de allí al carretero. Todos adivinamos que

---

[4] *belduque*, *(Méx.)* cuchillo grande.

aquellos dos hombres, cada vez que se encontraran de nuevo, caerían en la tentación de hacerse el mutuo servicio de matarse.

Aquella melosidad lacrimosa que hacía de Jesús uno como bufón errabundo, frecuentemente lo traicionaba. Iba más lejos que él en sus intentos; disgustaba a la gente con sus apariencias de cortesía servil; daba a sus frases más palabras de las que hacían falta, cargándolas de expresiones ociosas, como de colorines y adornos. Indio retórico, casta de los que encontró en la Nueva España[5] el médico andaluz Juan Cárdenas, mediado el siglo XVI. Indio almibarado y, a la vez, temible.

Pero no era esto lo que yo quería contar, sino que Jesús se puso de pronto un tanto solemne y me pidió un obsequio:

—Quiero —me dijo— que, si no le hace malobra, me regale el niño una Carta Magna.

—¿Una Carta Magna, Jesús? ¿Un ejemplar de la Constitución? ¿Y tú para qué lo quieres?

—Pa conocer los Derechos del Hombre. Yo creo en la libertad, no agraviando lo presente, niño.

Entretanto, comenzaba a descuidar el jardín y algunos rosales se habían secado.

Jesús volvió al campo un día, donde no permaneció más de un mes. ¿Qué pasó por Jesús? ¿Qué sombra fue esa que el campo nos devolvió al poco tiempo, qué débil trasunto de Jesús? Todo el vigor de Jesús parecía haberse sumido como agua en suelo árido. Ya casi no hablaba, no se movía. El viejo no hacía caso ya de las flores ni de la política. Dijo que quería irse al cerro[6]. Le pregunté si ya no quería luchar por la libertad. No: me dijo que sólo había venido a regalarme unos pollos; que ahora iba a vender

---

5 *Nueva España.* Nombre del México colonial.
6 *Irse al cerro.* Volver al campo.

pollos. Inútilmente quise irritar su curiosidad con algunas noticias alarmantes: la revolución había comenzado; ya se iban a cumplir, fielmente, los preceptos de la Carta Magna. No me hizo caso.

—Ahora voy a vender pollos.

—Pero, ¿no te cansas de ir y venir por esos caminos, trotando con el huacal [7] a la espalda?

—¡Ah, qué niño! ¡Si estoy retejuerte [8]!

Y cuando salió a la calle lo vi sentarse en la acera, junto a su huacal, y me pareció que movía los labios. ¿Estará rezando?, pensé. No: Jesús hablaba, y no a solas: hablaba con una india, también vendedora de pollos, que estaba sentada frente a él, en la acera opuesta. Los indios tienen un oído finísimo. Charlan en voz baja y dialogan así, en su lengua, largamente, por sobre el bullicio de la ciudad. La india, flaca y mezquina, tenía la misma cara atónita de Jesús.

Estos indios venían a la ciudad —estoy convencido— más que a vender pollos, a sentirse sumergidos en el misterio de una civilización que no alcanzan; a anonadarse, a aturdirse, a buscar un éxtasis de exotismo y pasmo.

Nunca entenderé cómo fue que Jesús, a punto ya de convertirse en animal consciente y político, se derrumbó otra vez por la escala antropológica y prefirió sentarse en la calle de la vida, a verla pasar sin entenderla.

1910 (*Armas y Letras*, Monterrey, segunda época, II: 1, enero-marzo 1959, páginas 5-8).

---

[7] *huacal*, (*Méx.*) alacena portátil.
[8] *retejuerte*, formación coloquial: muy fuerte.

La mano del comandante Aranda

El comandante Benjamín Aranda perdió una mano en acción de guerra, y fue la derecha, por su mal. Otros coleccionan manos de bronce, de marfil, cristal o madera, que a veces proceden de estatuas e imágenes religiosas o que son antiguas aldabas; y peores cosas guardan los cirujanos en bocales de alcohol. ¿Por qué no conservar esta mano disecada, testimonio de una hazaña gloriosa? ¿Estamos seguros de que la mano valga menos que el cerebro o el corazón?

Meditemos. No meditó Aranda, pero lo impulsaba un secreto instinto. El hombre teológico ha sido plasmado en la arcilla, como un muñeco, por la mano de Dios. El hombre biológico evoluciona merced al servicio de su mano, y su mano ha dotado al mundo de un nuevo reino natural, el reino de las industrias y las artes. Si los murallones de Tebas[1] se iban alzando al eco de la lira de Anfión, era su hermano Zeto[2], el albañil, quien encaramaba las piedras con la mano. La gente manual, los herreros y metalistas, aparecen por eso, en las arcaicas mitologías, envueltos como en vapores mágicos: son los hacedores del portento. Son *Las manos entregando el fuego* que ha pintado Orozco[3]. En el mural de Diego Rivera (Bellas Artes),

---

[1] *Tebas*. Ciudad del Egipto antiguo, célebre por sus murallas.

[2] *Anfión y Zeto*. Mellizos tebanos que construyeron los murallones de Tebas.

[3] *José Clemente Orozco* (1883-1949), *Diego Rivera* (1886-1957), *David Alfaro Siqueiros* (1898-1974). Los tres principales pintores muralistas mexicanos de la escuela surgida a raíz de la Revolución

la mano empuña el globo cósmico que encierra los poderes de creación y de destrucción: y en Chapingo, las manos proletarias están prontas a reivindicar el patrimonio de la tierra. En el cuadro de Alfaro Siqueiros, el hombre se reduce a un par de enormes manos que solicitan la dádiva de la realidad, sin duda para recomponerla a su guisa. En el recién descubierto santuario de Tláloc[4] (Tetitla), las manos divinas se ostentan y sueltan el agua de la vida. Las manos en alto de Moisés sostienen la guerra contra los amalecitas. A Agamemnón[5], «que manda a lo lejos», corresponde nuestro Hueman[6], «el de las manos largas». La mano, metáfora viviente, multiplica y extiende así el ámbito del hombre.

Los demás sentidos se conforman con la pasividad; el sentido manual experimenta y añade, y con los despojos de la tierra, edifica un orden humano, hijo del hombre. El mismo estilo oral, el gran invento de la palabra, no logra todavía desprenderse del estilo que creó la mano —la acción oratoria de los antiguos retóricos—, en sus primeras exploraciones hacia el caos ambiente, hacia lo inédito y hacia la poética futura. La mano misma sabe hablar, aun prescindiendo del alfabeto mímico de los sordomudos. ¿Qué no dice la mano? Rembrandt[7] —recuerda Focillon—[8] nos la muestra en todas sus capacidades y condiciones, tipos y edades: mano atónita, mano alerta, sombría y destacada en la luz que baña la Resurrección de Lázaro, mano obrera, mano académica del profesor

---

Mexicana. *Bellas Artes:* Las galerías del Palacio de Bellas Artes, México. *Chapingo:* Antigua hacienda, ahora escuela de agricultura.

[4] *Tláloc.* Dios azteca del agua y de las lluvias.

[5] *Agamemnón.* Rey átrida, caudillo de los héroes griegos que sitiaron a Troya.

[6] *Hueman.* Caudillo tolteca.

[7] *Rembrandt van Rijn.* Pintor holandés (1606-1669). Reyes se refiere aquí a varios de sus cuadros más conocidos.

[8] *Henri Focillon* (1881-1943). Historiador y crítico de arte francés.

Tulp [9] que desgaja un hacecillo de arterias, mano del pintor que se dibuja a sí misma, mano inspirada de San Mateo que escribe el *Evangelio* bajo el dictado del Ángel, manos trabadas que cuentan los florines. En el *Enterramiento* del Greco [10], las manos crean ondas propicias para la ascensión del alma del Conde; y su *Caballero de la mano al pecho*, con sólo ese ademán, declara su adusta nobleza.

Este dios menor dividido en cinco personas —dios de andar por casa, dios a nuestro alcance, dios «al alcance de la mano»— ha acabado de hacer al hombre y le ha permitido construir el mundo humano. Lo mismo modela el jarro que el planeta, mueve la rueda del alfar y abre el canal de Suez.

Delicado y poderoso intrumento, posee los más afortunados recursos descubiertos por la vida física: bisagras, pinzas, tenazas, ganchos, agujas de tacto, cadenillas óseas, aspas, remos, nervios, ligámenes, canales, cojines, valles y montículos, estrellas fluviales. Posee suavidad y dureza, poderes de agresión y caricia. Y en otro orden ya inmaterial, amenaza y persuade, orienta y desorienta, ahuyenta y anima. Los ensalmadores fascinan y curan con la mano. ¿Qué más? Ella descubrió el comercio del toma y daca, dio su arma a la liberalidad y a la codicia. Nos encaminó a la matemática, y enseñó a los ismaelitas, cuando vendieron a José (fresco romano de Saint-Savin) [11], a contar con los dedos los dineros del Faraón. Ella nos dio el sentimiento de la profundidad y el peso, la sensación de la pesantez y el arraigo en la gravitación cósmica; creó el espacio para nosotros,

[9] *Tulp*. El profesor de anatomía que aparece en *La lección de anatomía*, cuadro de Rembrandt.

[10] «*El Greco*». Aquí Reyes se refiere primero a su cuadro *El entierro del Conde de Orgaz*.

[11] *Saint-Savin*. Pueblo de Francia cuya abadía conserva pinturas, murales del siglo XI-XIII. *José:* Personaje del Antiguo Testamento de la Biblia (libro del *Génesis*).

y a ella debemos que el universo no sea un plano igual por el que simplemente se deslizan los ojos.

¡Prenda indispensable para jansenistas o voluptuosos! ¡Flor maravillosa de cinco pétalos, que se abren y cierran como la sensitiva, a la menor provocación! ¿El cinco es número necesario en las armonías universales? ¿Pertenece la mano al orden de la zarzarrosa, del nomeolvides, de la pimpinela escarlata? Los quirománticos tal vez tengan razón en sustancia, aunque no en sus interpretaciones pueriles. Si los fisonomistas de antaño —como Lavater [12], cuyas páginas merecieron la atención de Goethe— se hubieran pasado de la cara a la mano, completando así sus vagos atisbos, sin duda lo aciertan. Porque la cara es espejo y expresión, pero la mano es intervención. Moreno Villa [13] intenta un buceo en los escritores, partiendo de la configuración de sus manos. Urbina [14] ha cantado a sus bellas manos, único asomo material de su alma.

No hay duda, la mano merece un respeto singular, y bien podía ocupar un sitio predilecto entre los lares del comandante Aranda.

La mano fue depositada cuidadosamente en un estuche acolchado. Las arrugas de raso blanco —soporte a las falanges, puente a la palma, regazo al pomo— fingían un diminuto paisaje alpestre. De cuando en cuando, se concedía a los íntimos el privilegio de contemplarla unos instantes. Pues era una

---

[12] *Jean-Gaspard Lavater* (1741-1801). Filósofo, poeta y teólogo protestante suizo, inventor de la fisiognomonía, arte de juzgar el carácter por los rasgos de la cara.

[13] *José Moreno Villa* (1887-1955). Poeta y pintor español, trasladado a México, autor de *Un ensayo de quirosofía: dos tandas de manos mexicanas* (en que dibuja y estudia las manos de Alfonso Reyes, Ermilo Abreu Gómez, José Vasconcelos, Octavio Paz y Julio Torri, entre otros.

[14] *Luis G. Urbina* (1864-1934). Poeta mexicano de la generación «modernista». Vid. Reyes, «Recordación de Urbina», en *Pasado inmediato, OC, XII).*

mano agradable, robusta, inteligente, algo crispada aún por la empuñadura de la espada. Su conservación era perfecta.

Poco a poco, el tabú, el objeto misterioso, el talismán escondido, se fue volviendo familiar. Y entonces emigró del cofre de caudales hasta la vitrina de la sala, y se le hizo sitio entre las condecoraciones de campaña y las cruces de la Constancia Militar.

Dieron en crecerle las uñas, lo cual revelaba una vida lenta, sorda, subrepticia. De momento, pareció un arrastre de inercia y luego se vio que era virtud propia. Con alguna repugnancia al principio, la manicura de la familia accedió a cuidar de aquellas uñas cada ocho días. La mano estaba siempre muy bien acicalada y compuesta.

Sin saber cómo —así es el hombre, convierte la estatua del dios en bibelot—, la mano bajó de categoría, sufrió una *manus diminutio*[15], dejó de ser una reliquia, y entró decididamente en la circulación doméstica. A los seis meses, ya andaba de pisapapeles o servía para sujetar las hojas de los manuscritos —el comandante escribía ahora sus memorias con la izquierda—; pues la mano cortada era flexible, plástica, y los dedos conservaban dócilmente la postura que se les imprimía.

A pesar de su repugnante frialdad, los chicos de la casa acabaron por perderle el respeto. Al año ya se rascaban con ella, o se divertían plegando sus dedos en forma de figa brasileña[16], carreta mexicana[17] y otras procacidades del folklore internacional.

---

[15] *manus diminutio*, disminución de la mano. Obsérvese el juego de palabras.

[16] *figa (brasileña)*, especie de amuleto brasileño: pequeño objeto en forma de mano cerrada que se usa supersticiosamente como preservativo de maleficios, enfermedades o para burlarse de alguien.

[17] *carreta (mex.)*, gesto en donde se dobla el brazo hacia atrás, poniendo la otra mano entre el brazo y el antebrazo. La denominación usual de este gesto en España es *corte de manga*.

La mano, así, recordó muchas cosas que tenía completamente olvidadas. Su personalidad se fue acentuando notablemente. Cobró conciencia y carácter propios. Empezó a alargar tentáculos. Luego se movió como tarántula. Todo parecía cosa de juego. Cuando, un día, se encontraron con que se había calzado sola un guante y se había ajustado una pulsera por la muñeca cercenada, ya a nadie le llamó la atención.

Andaba con libertad de un lado a otro, monstruoso falderillo algo acangrejado. Después aprendió a correr, con un galope muy parecido al de los conejos. Y haciendo «sentadillas» sobre los dedos, comenzó a saltar que era un prodigio. Un día se la vio venir, desplegada, en la corriente de aire: había adquirido la facultad del vuelo.

Pero, a todo esto, ¿como se orientaba, cómo veía? ¡Ah! Ciertos sabios dicen que hay una luz oscura, insensible para la retina, acaso sensible para otros órganos, y más si se los especializa mediante la educación y el ejercicio. Y Louis Farigoule —Jules Romains en las letras— [18] observa que ciertos elementos nerviosos, cuya verdadera función se ignora, rematan en la epidermis; aventura que la visión puede provenir tan solo de un desarrollo local en alguna parte de la piel, más tarde convertida en ojo: y asegura que ha hecho percibir la luz a los ciegos, después de algunos experimentos, por ciertas regiones de la espalda. ¿Y no había de ver también la mano? Desde luego, ella completa su visión con el tacto, casi tiene ojos en los dedos, y la palma puede orientarse al golpe del aire como las membranas del murciélago. Nanuk el esquimal, en sus polares y nubladas estepas, levanta y agita las veletas de sus manos —acaso también receptores térmicos— para orientarse en un ambiente aparentemente uniforme. La mano capta mil cosas

---

[18] *Louis Farigoule (seudónimo: Jules Romains)*. Novelista francés nacido en 1885, amigo de Reyes.

fugitivas, y penetra las corrientes translúcidas que escapan al ojo y al músculo, aquéllas que ni se ven ni casi oponen resistencia.

Ello es que la mano, en cuanto se condujo sola, se volvió ingobernable, echó temperamento. Podemos decir, que fue entonces cuando «sacó las uñas». Iba y venía a su talante. Desaparecía cuando le daba la gana, volvía cuando se le antojaba. Alzaba castillos de equilibrio inverosímil con las botellas y las copas. Dicen que hasta se emborrachaba y, en todo caso, trasnochaba.

No obedecía a nadie. Era burlona y traviesa. Pellizcaba las narices a las visitas, abofeteaba en la puerta a los cobradores. Se quedaba inmóvil, «haciendo el muerto», para dejarse contemplar por los que aún no la conocían, y de repente les hacía una señal obscena. Se complacía, singularmente, en darle suaves sopapos a su antiguo dueño, y también solía espantarle las moscas. Y él la contemplaba con ternura, los ojos arrasados en lágrimas, como a un hijo que hubiera resultado «mala cabeza».

Todo lo trastornaba. Ya le daba por asear y barrer la casa, ya por mezclar los zapatos de la familia, con verdadero genio aritmético de las permutaciones, combinaciones y cambiaciones; o rompía los vidrios a pedradas, o escondía las pelotas de los muchachos que juegan por la calle.

El comandante la observaba y sufría en silencio. Su señora le tenía un odio incontenible, y era —claro está— su víctima preferida. La mano, en tanto que pasaba a otros ejercicios, la humillaba dándole algunas lecciones de labor y cocina.

La verdad es que la familia comenzó a desmoralizarse. El manco caía en extremos de melancolía muy contrarios a su antiguo modo de ser. La señora se volvió recelosa y asustadiza, casi con manía de persecución. Los hijos se hacían negligentes, abandonaban sus deberes escolares y descuidaban, en general, sus buenas maneras. Como si hubiera entrado en la casa un duende chocarrero, todo eran sobresaltos, tráfago inútil, voces, portazos. Las comidas se servían a destiempo, y a lo mejor, en el salón y hasta en cualquiera de las alcobas. Porque, ante la consternación del comandante, la epiléptica contrariedad de su esposa y el sidimulado regocijo de la gente menuda, la mano había tomado posesión del comedor para sus ejercicios gimnásticos, se encerraba por dentro con llave, y recibía a los que querían expulsarla tirándoles platos a la cabeza. No hubo más que ceder la plaza: «rendirse con armas y bagajes», dijo Aranda.

Los viejos servidores, hasta «el alma que había criado a la niña», se ahuyentaron. Los nuevos servidores no aguantaban un día en la casa embrujada. Las amistades y los parientes desertaron. La policía comenzó a inquietarse ante las reiteradas reclamaciones de los vecinos. La última reja de plata que aún quedaba en el Palacio Nacional desapareció como por encanto. Se declaró una epidemia de hurtos, a cuenta de la misteriosa mano que muchas veces era inocente.

Y lo más cruel del caso es que la gente no culpaba a la mano, no creía que hubiera tal mano animada de vida propia, sino que todo lo atribuía a las malas artes del pobre manco, cuyo cercenado despojo ya amenazaba con costarnos un día lo que nos costó la pata de Santa-Anna [19]. Sin duda Aranda era un brujo que tenía pacto con Satanás. La gente se santiguaba.

La mano, en tanto, indiferente al daño ajeno, adquiría una musculatura atlética, se robustecía y per-

---

[19] *Antonio López de Santa Anna* (1797-1876). General y varias veces dictador mexicano que con su mal gobierno provocó el separatismo de Texas y preparó la guerra con Estados Unidos: su ineptitud militar contribuyó a la derrota de México en esa guerra. Había perdido una pierna (o «pata») en una acción contra los franceses en Veracruz.

feccionaba por instantes, y cada vez sabía hacer más cosas. ¿Pues no quiso continuarle por su cuenta las memorias al comandante? La noche que decidió salir a tomar el fresco en automóvil, la familia Aranda, incapaz de sujetarla, creyó que se hundía el mundo. Pero no hubo un solo accidente, ni multas, ni «mordidas»[20]. Por lo menos —dijo el comandante— así se conservará la máquina en buen estado, que ya amenazaba enmohecerse desde la huida del *chauffeur*.

Abandonada a su propia naturaleza, la mano fue poco a poco encarnando la idea platónica que le dio el ser, la idea de asir, el ansia de apoderamiento, hija del pulgar oponible: esta inapreciable conquista del *Homo faber*[21] que tanto nos envidian los mamíferos digitados, aunque no las aves de rapiña. Al ver, sobre todo, cómo perecían las gallinas con el pescuezo retorcido, o cómo llegaban a la casa objetos de arte ajenos que luego Aranda pasaba infinitos trabajos para devolver a sus propietarios, entre tartamudeos e incomprensibles disculpas; fue ya evidente que la mano era un animal de presa y un ente ladrón.

La salud mental de Aranda era puesta ya en tela de juicio. Se hablaba también de alucinaciones colectivas, de los *raps* o ruidos de espíritus que, por 1847, aparecieron en casa de la familia Fox[22], y de otras cosas por el estilo. Las veinte o treinta personas que de veras habían visto la mano no parecían dignas de crédito cuando eran de la clase servil, fácil pasto a las supersticiones; y cuando eran gente de mediana cultura, callaban, contestaban con evasivas por miedo a comprometerse o a ponerse en ridículo. Una mesa redonda de la Facultad de Filosofía y Letras se con-

---

[20] *mordida (mex.)*, soborno que se ofrece al policía para evitar una multa.

[21] *Homo faber*, el hombre que hace o fabrica cosas.

[22] *Fox*. Célebre familia de espiritistas norteamericanas.

sagró a discutir cierta tesis antropológica sobre el origen de los mitos.

Pero hay algo tierno y terrible en esta historia. Entre alaridos de pavor, se despertó un día Aranda a la media noche: en extrañas nupcias, la mano cortada, la derecha, había venido a enlazarse con su mano izquierda, su compañera de otros días, como anhelosa de su arrimo. No fue posible desprenderla. Allí pasó el resto de la noche, y allí resolvió pernoctar en adelante. La costumbre hace familiares los monstruos. El comandante acabó por desentenderse. Hasta le pareció que aquel extraño contacto hacía más llevadera su mutilación y, en cierto modo, confortaba a su mano única.

Porque la pobre mano siniestra, la hembra, necesitó el beso y la compañía de la mano masculina, la diestra. No la denostemos. Ella, en su torpeza, conserva tenazmente, como precioso lastre, las virtudes prehistóricas, la lentitud, la tardanza de los siglos en que nuestra especie fue elaborándose. Corrige las desorbitadas audacias, las ambiciones de la diestra. Es una suerte —se ha dicho— que no tengamos dos manos derechas: nos hubiéramos perdido entonces entre las puras sutilezas y marañas del virtuosismo; no seríamos hombres verdaderos, no: seríamos prestidigitadores. Gauguin sabe bien lo que hace cuando, como freno a su etérea sensibilidad, enseña otra vez a su mano diestra a pintar con el candor de la zurda.

Pero, una noche, la mano empujó la puerta de la biblioteca y se engolfó en la lectura. Y dio con un cuento de Maupassant sobre una mano cortada que acaba por estrangular al enemigo. Y dio con una hermosa fantasía de Nerval, donde una mano encantada recorre el mundo haciendo primores y maleficios. Y dio con unos apuntes del filósofo Gaos[23] sobre la

---

[23] *José Gaos*. Filósofo español radicado en México, nacido en 1900, discípulo de José Ortega y Gasset.

fenomenología de la mano... ¡Cielos! ¿Cuál será el resultado de esta temerosa incursión en el alfabeto? El resultado es sereno y triste. La orgullosa mano independiente, que creía ser una persona, un ente autónomo, un inventor de su propia conducta, se convenció de que no era más que un tema literario, un asunto de fantasía ya muy traído y llevado por la pluma de los escritores. Con pesadumbre y dificultad —y estoy por decir que derramando abundantes lágrimas— se encaminó a la vitrina de la sala, se acomodó en su estuche, que antes colocó cuidadosamente entre las condecoraciones de campaña y las cruces de la Constancia Militar, y desengañada y pesarosa, se suicidó a su manera, se dejó morir.

Rayaba el sol cuando el comandante, que había pasado la noche revolcándose en el insomnio y acongojado por la prolongada ausencia de su mano, la descubrió yerta, en el estuche, algo ennegrecida y como con señales de asfixia. No daba crédito a sus ojos. Cuando hubo comprendido el caso, arrugó con nervioso puño el papel en que ya solicitaba su baja del servicio activo, se alzó cuan largo era, reasumió su militar altivez y, sobresaltando a su casa, gritó a voz en cuello:

—¡Atención, firmes! ¡Todos a su puesto! ¡Clarín de órdenes, a tocar la diana de victoria!

México, febrero 1949 *(Quince presencias*, 1955).

Selección de poesías

Yo comencé escribiendo versos, he seguido
escribiendo versos, y me propongo con-
tinuar escribiéndolos hasta el fin; según
va la vida, al paso del alma, sin volver los
ojos. Voy de prisa. La noche me aguarda,
y está inquieta.

A. R., Prólogo a *Huellas*.
(OC, X, pág. 496).

Y así fue, en efecto, que el Reyes que se había es-
trenado en las letras como poeta, con algunos sonetos
publicados en Monterrey en 1905 a la edad de dieciséis años, siguió escribiendo poesías hasta sus últimos días. A través de su carrera literaria de más de
medio siglo, en que se distinguirá como ensayista y humanista completo, siempre hay en Reyes un poeta
esencial: un poeta en prosa y un poeta en verso que
busca en el poema cierta esencialidad de expresión
lírica íntima y profunda, o que escribe en verso breves
cartas y recados a sus amigos que llama versos de
cortesía (título de uno de sus libros) y que brotan tan
naturalmente de su pluma como los escritos en prosa,
pues son dos ritmos de la respiración diaria de su pensamiento y de su estética. El sustancioso tomo X de
sus *Obras completas (Constancia poética)*, que recoge
su obra poética en verso, por sí sólo sería suficiente
para considerarlo como uno de los poetas hispanoamericanos importantes del siglo xx. El título *Constancia poética*, explica don Alfonso, «significa a la
vez continuidad y documento probatorio»: es decir,

5

su *constancia* en el tiempo como poeta, su fidelidad a la Musa poética a lo largo de cincuenta años de actividad literaria; luego, *constancia* en su otro sentido de comprobación, confirmación o evidencia de su calidad de poeta esencial.

Presentamos una variada selección de poesías de Alfonso Reyes que recuerdan una variedad de sus intereses y experiencias: un cuento de hadas en forma de romance español *(Las hijas del Rey de Amor);* tres poemas de fondo autobiográfico que reflejan su cariño por la tierra natal *(Romance de Monterrey, Glosa de mi tierra, Infancia);* tres que presentan otras escenas de América vistas por don Alfonso (Veracruz y La Habana, en *Golfo de México;* Río de Janeiro, en dos de los *Romances del Río de Enero);* el *Candombe porteño*, en donde el poeta encuentra ritmos de baile en los nombres de las calles de Buenos Aires; tres poemas que presentan sus ideas de la poesía *(Teoría prosaica, Arte, Silencio);* y dos que comunican emociones íntimas de la soledad y la muerte *(El llanto, Visitación).*

LAS HIJAS DEL REY DE AMOR

En la más diminuta isla,
donde nadie la descubrió,
habitada por bellas formas
diminutas que nadie vio...
—¡Oh, los pájaros saben tanto!
La gaviota que la encontró,
la que vuela por tantos mares,
la gaviota me lo contó—,
... un castillo de miniatura,
el castillo del Rey de Amor,
con sus torres y sus puentes
se levanta sobre un terrón.

A la siesta, frente al castillo
—el castillo del Rey de Amor—,
diminutos largartos verdes
suelen ir a beber su sol;
y en los frescos anocheceres,
a la hora del pastor,
por el aire revolotean
las dos hijas del Rey de Amor.

Hete aquí que a la mayorcita,
que se llamaba Flor de Amor,
un lagarto salió al encuentro
y le dijo cuando salió:
—¿Me darás tu precioso anillo?
Con fatigas lo quiero yo—.

Y en galante doncel de amores
al decirlo se conviritió.
Y la niña ¿qué le responde?
Bien oiréis lo que respondió:
—¡Que te alejes y te me apartes,
que lagartos no quiero yo!—
Más no dijo ni más dijera,
que el doncel desapareció,
y quedó sin hablar la niña
que se llamaba Flor de Amor.

Y hete aquí que a la menorcita,
también llamada Flor de Amor,
un garrido galán de amores
en amores la requirió.
Y la niña ¿qué le responde?
Bien oiréis lo que respondió:
—¡Hora sús, lindo caballero!
Que contigo me fuera yo;
que me robes sobre la grupa
de tu corcel galopador,
y me lleves a donde sabes
que apetece mi corazón—.
Más no dijo ni más dijera,
Que el doncel la espuela hincó,
y por el aire huyó la niña
también llamada Flor de Amor.

¿Quién dirá cómo sigue el cuento,
que no atino a seguirlo yo?
¿Para qué recordar los años
—fueron años de dolor—,
cuando lloraba, hilando el copo,
la mayorcita Flor de Amor?

Una tarde, frente al castillo,
una libélula llegó.
Sobre su dorso cabalgaba

la menorcita Flor de Amor.
Era la hora en que las olas
se acariciaban con rumor,
las luciérnagas encendían
sus farolillos de color,
y por el suelo verdeaban
los lagartos del Rey de Amor.
Y un lagarto y una libélula,
y la mayor y la menor,
tanto charlaban y reían
que la gaviota no entendió...

La gaviota de tantos mares,
la gaviota me lo contó.
Cuando ya todos son felices
¿a qué seguir con la canción?
Otro venga a acabar el cuento,
que no acierto a acabarlo yo.

México, junio 1909

ROMANCE DE MONTERREY

Monterrey de las montañas,
tú que estás a par del río;
fábrica de la frontera,
y tan mi lugar nativo
que no sé cómo no añado
tu nombre en el nombre mío:
pues sufres a descompás
lluvia y sol, calor y frío,
y mojados los inviernos
y resecos los estíos—,
no sé cómo no te amañas

69

y elevas a Dios un grito,
por los pitos de tus fraguas
y de tu industria en los silbos,
por que te enmiende la plana
y te enderece el sentido,
diga a la naturaleza
que desande lo torcido,
y te dé lluvia en verano
y sequedad con el frío.

Monterrey de las montañas,
tú que estás a par del río
que a veces te hace una sopa
y arrastra puentes consigo,
y te deja de manera
cuando se sale de tino
que hasta la Virgen del Roble [1]
cuelga a secar el vestido;
Monterrey de los incendios
que, tostada en fuego vivo,
las rojas llagas te vendas
cada semana por filo—,
no sé cómo no te amañas
y elevas a Dios un grito,
por los pitos de tus fraguas
y de tu industria en los silbos,
por que hable a los elementos
y te enderece el sentido,
y diga al fuego y al agua
que lleguen a un tiempo mismo,
para que el mal que te buscan
te lo cambien en servicio.

Monterrey, donde esto hicieres,
pues en tu valle he nacido,

---

[1] *La Virgen del Roble*. Una Virgen local.

desde aquí juro añadirme
tu nombre en el apellido.

México, 26 de febrero 1911.

GLOSA DE MI TIERRA [2]

Amapolita morada
del valle donde nací:
si no estás enamorada,
enamórate de mí.

I

Aduerma el rojo clavel
o el blanco jazmín las sienes;
que el cardo es sólo desdenes,
y sólo furia el laurel.
Dé el monacillo [3] su miel,
y la naranja rugada
y la sedienta granada
zumo y sangre —oro y rubí;
que yo te prefiero a ti,
amapolita morada.

---

[2] La estrofa o «redondilla» inicial de este poema viene de una
copla popular. Véase la descripción de la glosa por Tomás Navarro
(*Arte del verso*, México, Cía. General de Ediciones, S. A., 3.ª ed.,
1965, págs. 156-157): «Empezó el cultivo de la glosa en el siglo xv.
Pasó por diversos cambios hasta el siglo xvii. Su extensión de-
pendía del mayor o menor número de versos de su tema y estrofas
de comentario. A partir del siglo xvii su forma regular ha consistido
en una redondilla como tema y cuatro décimas glosadoras que
terminan repitiendo cada una sucesivamente uno de los versos
de la redondilla. Su práctica se mantiene especialmente en los
países hispanoamericanos. Ejemplo de Alfonso Reyes, *Glosa
de mi tierra...*»
[3] *monacillo*, especie de malvavisco de florecillas rojas.

II

Al pie de la higuera hojosa
tiende el manto la alfombrilla;
crecen la anacua [4] sencilla
y la cortesana rosa;
donde no la mariposa,
tornasola el colibrí.
Pero te prefiero a ti,
de quien la mano se aleja:
vaso en que duerme la queja
del valle donde nací.

III

Cuando, al renacer el día
y al despertar de la siesta,
hacen las urracas fiesta
y salvas de gritería,
¿por qué, amapola, tan fría,
o tan pura, o tan callada?
¿Por qué, sin decirme nada,
me infundes un ansia incierta
—copa exhausta, mano abierta—
si no estás enamorada?

IV

¿Nacerán estrellas de oro
de tu cáliz tremulento
—norma para el pensamiento
o bujeta para el lloro?
No vale un canto sonoro
el silencio que te oí.

---

[4] *anacua*, planta del norte de México de cierto valor medicinal.

Apurando estoy en ti
cuánto la música yerra.
Amapola de mi tierra:
enamórate de mí.

Madrid, agosto de 1917.

GOLFO DE MÉXICO

Veracruz

La vecindad del mar queda abolida:
basta saber que nos guardan las espaldas,
que hay una ventana inmensa y verde
por donde echarse a nado.

La Habana

No es Cuba, donde el mar disuelve el alma.
No es Cuba —que nunca vio Gauguin,
que nunca vio Picasso—,
donde negros vestidos de amarillo y de guinda
rondan el malecón, entre dos luces,
y los ojos vencidos
no disimulan ya los pensamientos.

No es Cuba —la que nunca oyó Stravinsky
concertar sones de marimbas y güiros
en el entierro de Papá Montero [5],
ñáñigo [6] de bastón y canalla rumbero.

No es Cuba —donde el yanqui colonial
se cura del bochorno sorbiendo «granizados» [7]
de brisa, en las terrazas del reparto;
donde la policía desinfecta
el aguijón de los mosquitos últimos
que zumban todavía en español.

---

[5] *El entierro de Papá Montero.* Tema del folklore afrocubano:
véase el poema de Nicolás Guillén, *Velorio de Papá Montero.*

[6] *ñáñigo,* individuo de una sociedad secreta afrocubana.

[7] *«granizado»,* especie de refresco de hielo raspado.

No es Cuba —donde el mar se transparenta
para que no se pierdan los despojos del Maine [8],
y un contratista revolucionario
tiñe de blanco el aire de la tarde,
abanicando, con sonrisa veterana,
desde su mecedora, la fragancia
de los cocos y mangos aduaneros.

Veracruz

No: aquí la tierra triunfa y manda
—caldo de tiburones a sus pies.
Y entre arrecifes, últimas cumbres de la Atlántida,
las esponjas de algas venenosas
manchan de bilis verde que se torna violeta
los lejos donde el mar cuelga del aire.

Basta saber que nos guardan las espaldas:
la ciudad sólo abre hacia la costa
sus puertas de servicio.

En el aburridero de los muelles,
los mozos de cordel no son marítimos;
cargan en la bandeja del sombrero
un sol de campo adentro:
hombres color de hombre,
que el sudor emparienta con el asno
—y el equilibrio de los bustos,
al peso de las cívicas pistolas.

Herón Proal [9], con manos juntas y ojos bajos,
siembra la clerical cruzada de inquilinos;
y las bandas de funcionarios en camisa
sujetan el desborde de sus panzas
con relumbrantes dentaduras de balas.

---

[8] *El Maine*, el navío de guerra norteamericano echado a pique
por explosión en el puerto de La Habana en 1898, dando lugar
a la guerra entre España y Estados Unidos

[9] *Herón Proal*. Líder de un movimiento de protesta social en
Veracruz, de inquilinos para no pagar su renta o alquiler.

Las sombras de los pájaros
danzan sobre las plazas mal barridas.
Hay aletazos en las torres altas.

El mejor asesino del contorno,
viejo y altivo, cuenta una proeza.
Y un juchiteco[10], esclavo manumiso
del fardo en que descansa,
busca y recoge con el pie descalzo
el cigarro que el sueño de la siesta
le robó de la boca.

Los Capitanes, como han visto tanto,
disfrutan, sin hablarse,
los menjurjes de menta en los portales.
Y todas las tormentas de las Islas Canarias,
y el Cabo Verde y sus faros de colores,
y la tinta china del Mar Amarillo,
y el Rojo entresoñado
que el profeta judío parte en dos con la vara,
y el Negro, donde nadan
carabelas de cráneos de elefantes
que bombeaban el Diluvio con la trompa,
y el Mar de Azufre,
donde perdieron cabellera, ceja y barba,
y el de Azogue, que puso dientes de oro
a la tripulación de piratas malayos,
reviven al olor del alcohol de azúcar,
y andan de mariposas prisioneras
bajo el azul «quepí»[11] de tres galones,
mientras consume nubes de tifones
la pipa de cerezo.

---

[10] *juchiteco*, natural de Juchitán, pueblo mexicano de indios
zapotecas situado en el istmo de Tehuantepec, Estado de Oaxaca.
[11] *Quepi*, gorra militar con visera. Del fr. *kepi*, de ahí su acen-
tuación aguda.

La vecindad del mar queda abolida.
Gañido errante de cobres y cornetas
pasea en un tranvía—.
Basta saber que nos guardan las espaldas.

(Atrás, una ventana inmensa y verde...)
El alcohol del sol pinta de azúcar
los terrones fundentes de las casas.
(...por donde echarse a nado).

Miel de sudor, parentesco del asno,
y hombres color de hombre
conciertan otras leyes,
en medio de las plazas donde vagan
las sombras de los pájaros.

Y sientes a la altura de las sienes
los ojos fijos de las viudas de guerra.
Y yo te anuncio el ataque a los volcanes
de la gente que está de espalda al mar:
cuando los comedores de insectos
ahuyenten las langostas con los pies
—y en el silencio de las capitales
se oirán venir pisadas de sandalias
y el trueno de las flautas mexicanas.

México, 1924.

TEORÍA PROSAICA

I

En mi tierra sancochaban [12]
los cabritos en la estaca,
con otra estaca arrancando
el pellejo hecho carbón.

---

[12] *sancochar*, medio cocinar (sin sazonar).

Pero en el campo argentino
lo hacen mejor:
con la costumbre judía
de que hablan los Tharaud[13],
el noble asado con cuero
se come junto al fogón,
en la misma res mordiendo,
cortando con el facón.
¡Hasta la gente del campo
nos da lección!
Alguna vez hay que andar
sin cuchillo y tenedor,
pegado a la humilde vida
como Diógenes al charco,
y como cualquier peón.

II

¡Y decir que los poetas,
aunque aflojan las sujetas
cuerdas de la preceptiva,
huyen de la historia viva,
de nada quieren hablar,
sino sólo frecuentar
la vaguedad pura!
Yo prefiero promiscuar
en literatura.
No todo ha de ser igual
al sistema decimal:
mido a veces con almud[14],
con vara y con cuarterón.
Guardo mejor la salud
alternando lo ramplón
con lo fino,

---

[13] *Los Tharaud*. Los hermanos Jérome y Jean Tharaud (1877-1952, 1953), escritores franceses interesados por Palestina y los judíos.
[14] *almud*, medida antigua de capacidad.

y junto en el alquitara
—como yo sé—
el romance paladino
del vecino
con la quintaesencia rara
de Góngora y Mallarmé.

III

Algo de ganga en el oro,
algo de tierra sorbida
con la savia vegetal;
la estatua medio metida
en la piedra original;
la voz, perdida entre el coro;
cera en la miel del panal;
y el habla vulgar fundida
con el metal
del habla más escogida
—así entre cristiano y moro—,
hoy por hoy no cuadran mal:
así va la vida,
y no lo deploro.

Río de Janeiro, 1931.

INFANCIA

Yo vivía entre cazadores
que guardan el cañón del rifle,
desarmado, en tubos de aceite,
y que arrancan a martillazos
el alza y la mira.
«Porque —dicen— eso sólo estorba
para la buena puntería.»

Yo vivía entre jinetes
que montaban en pelo, y a lo sumo
usaban bozal o almartigón [15],
que regían con la voz y apenas
con un leve quiebro del tronco
o con la presión de las piernas.
«Porque —dicen— hasta el estribo
parece cosa de catrines» [16].

Yo vivía entre vaqueros
que huelen a res
y traen las manos cuarteadas,
porque nada endurece tanto
como ese calor de las ubres
y la nata seca en la piel.

Yo vivía entre gendarmes rurales,
contrabandistas en su tiempo,

---

[15] *almartigón*, cabezada que se ponía a los caballos sobre el freno.
[16] *catrines (Méx.)*, hombres elegantes.

que sabían de guitarra y de albures
y de pistola y de machete,
tan bravos que no se escondían
cuando les daba por llorar.

Yo vivía entre improvisadores
que, aconsejados del mezcal[17],
componían unos corridos
dignos del Macario Romero[18]
dignos del Heráceo Bernal,
sobre recuerdos del Río Bravo[19]
y las hazañas de Crispín[20],
el que tenía pacto con el Diablo.

Yo me vivía en las moliendas
viendo cómo la piedra trituraba
la caña, y echa a un lado el bagazo
y al otro cuela el aguamiel
que se concentra al fuego en los peroles
y se va ennegreciendo y espesando.
El campo, a veces, al relente,
daba el olor de jara mojada en el arroyo,
y las haciendas olían todas
al cigarrillo de hoja de maíz.

Yo me vivía entre cerveceros[21]
viendo mezclar el lúpulo,

---

[17] *mezcal*, aguardiente mexicano extraído de una variedad de maguey o pita.

[18] *Macario Romero, Heráceo Bernal*. Héroes de la tradición popular, cantados en romances o corridos mexicanos.

[19] *Río Bravo*. Nombre mexicano del llamado «Río Grande» en Estados Unidos, y que señala la frontera entre Texas y México; lleva el nombre de un héroe de la guerra de la Independencia mexicana, *Nicolás Bravo* (1790-1863).

[20] *Crispín*. Antiguo contrabandista del Norte de México y posteriormente hombre de confianza del general Bernardo Reyes (padre de Alfonso).

[21] *cerveceros*, en Monterrey se encuentra, por ejemplo, la Cervecería Cuauhtémoc, una de las principales cervecerías de México.

viendo escurrir los hilos rubios;
y entrábamos después en la cámara del hielo
que tenía un aroma de marea y pescado,
y donde parecía que los párpados
perdían su peso natural
y los ojos se dilataban.

Yo me vivía entre gentes de fragua
y sabía mover los fuelles,
y para ver los hornos
me ponía gafas ahumadas.
Corrían chorros de metal fundido,
había llamas por el suelo,
había grúas por el aire;
y había laderas de brasas
que teñían de rojo medio cielo.

Yo me vivía en las minas,
viendo torcer los malacates [22],
oyendo tronar la dinamita,
viajando en canastillas y ascensores,
charlando con las tres categorías [23]
—las tres edades de mineros—:
tigres, peones y barreteros.

Después... he frecuentado climas y naciones
y he visto hacer y deshacer entuertos.
¡Ay de mí! Cada vez que me sublevo,
mi fantasía suscita y congrega
cazadores, jinetes y vaqueros,
guardias contrabandistas,
poetas de tendajo [24],
gente de las moliendas, de las minas,
de las cervecerías y de las fundiciones;

---

[22] *malacates*, tornos verticales que sirven para sacar agua.
[23] *tres categorías*, i.e., tipos de mineros.
[24] *tendajo*, tienda pequeña.

6

y ando así, por los climas y naciones,
dando, en la fantasía
—mientras que llega el día—,
mil batallas campales
con mis mesnadas de sombras
de la Sierra-Madre-del-Norte [25].

Río de Janeiro, 23 de junio 1934.

A R T E

Perfecta rosa que adoro
y en sus pétalos de viento
lleva las aromas mudas,
suma los vórtices quietos.

Cifra y cápsula de mundos
que en mil años de secreto
ha juntado los arrobos
de lunas y de misterios.

Húmeda como creada,
fugitiva como sueño,
como las vislumbres rauda,
miedosa como el acecho:

Si a desvanecerte vas
en los ahogos del pecho,
bebe antes en mi sangre
toda la sal que te debo.

Llévate mi ser al fondo
de tus abismos de cielo:
no me dejes en el mundo
cautivo de mis deseos.

---

[25] *Sierra Madre del Norte.* Parte de la Sierra Madre en que está situado Monterrey.

Número soy de tu cuenta,
danza de tu movimiento,
y a la vez que tu remolque,
ámbito soy de tu vuelo.

Cuando aspiras, cuando subes,
alondra de sentimiento,
para saciar tus auroras
la luz no tiene sustento.

Una leyenda de sabios
que hace mucho estoy leyendo
te esconde como mentira,
te desaira como cuento.

Más yo que tus leyes sigo
y en tus aires me gobierno,
sé que en los usos del alma
eres el uso perfecto:

Que eres, como la música,
dulce plenitud del tiempo,
y maestra en ajustar
la voz con el pensamiento.

Que vives de no vivir
en otro vivir más cierto:
insaciable sed del agua
que no bebe su elemento.

Perfecta rosa que adoro:
para implorarte no encuentro
sino medir las palabras
con los latidos del pecho.

México, 1940

SILENCIO

Escojo la voz más tenue
para maldecir del trueno,
como la miel más delgada
para triaca del veneno.
En la corola embriagada
del más efímero sueño,
interrogo las astucias
del desquite contra el tiempo,
y a la barahúnda opongo
el escogido silencio.
No es menos luz la centella
por cegar sólo un momento,
ni es desamor el amor
que enmudece por intenso.
Cada vez menos palabras;
y cada palabra, un verso;
cada poema, un latido;
cada latido, universo.
Esfera ya reducida
a la norma de su centro,
es inmortal el instante
y lo fugitivo eterno.
Flecha que clavó el destino,
aunque presuma de vuelo,
déjate dormir, canción,
que ya duraste un exceso.

México, 28 de marzo de 1943.

EL LLANTO

Al declinar la tarde, se acercan los amigos;
pero la vocecita no deja de llorar.
Cerramos las ventanas, las puertas, los postigos,
pero sigue cayendo la gota de pesar.

No sabemos de dónde viene la vocecita;
registramos la granja, el establo, el pajar.
El campo en la tibieza del blando sol dormita,
pero la vocecita no deja de llorar.

—¡La noria que chirría! —dicen los más agudos—.
Pero ¡si aquí no hay norias! ¡Qué cosa singular!
Se contemplan atónitos, se van quedando mudos,
porque la vocecita no deja de llorar.

Ya es franca desazón lo que antes era risa
y se adueña de todos un vago malestar,
y todos se despiden y se escapan de prisa,
porque la vocecita no deja de llorar.

Cuando llega la noche, ya el cielo es un sollozo
y hasta finge un sollozo la leña del hogar.
A solas, sin hablarnos, lloramos sin esbozo,
porque la vocecita no deja de llorar.

19 de octubre de 1958.

CANDOMBE PORTEÑO [26]

Estilo 1840

Las calles de Buenos Aires
tienen nombre tan gentil,
que dan ganas de bailar
cuando se las nombra así:
— Sarandí — Sarandí — Maipú —
　　　　— Tacuarí —
　　　　— Guanamí —
— Gualeguay y Gualeguaychú —

---

[26] *Candombe*. Un baile de negros que se bailaba en los salones de Buenos Aires en el siglo XIX.

— Bamba — Jujuy — Bacacay —
— Barcalá — Boquerón — Bompland —
— Gaguazú — Curapaligüé —
      — Tacuarí —
      — Tacuarí —

— Guandacol — Guaminí — Guanacache —
      — Guaraní —
  — Toll — Timbó —
— Tala — Salta — Tuyú — Tuyutí
      — Yapeyú —
      — Pepirí —

Que a mi negra le gusta la danza
mucho más que me gusta a mí.

— Acha — Achala — Achalay — Alianza —
— Lambaré — Calderón — Azamor — Camacuá —
que a las calles les gusta la danza,
Kikirikí y Cacarañá.

      Cortesía («Por el Plata», 1927-1929).

RÍO DE OLVIDO

Río de Enero, Río de Enero[27],
fuiste río y eres mar:
lo que recibes con ímpetu
lo devuelves devagar[28].

Madura en tu seno el día
con calmas de eternidad:

---

[27] *Río de Enero*. Traducción literal del portugués al español del nombre de la ciudad brasileña Río de Janeiro. (También entre hispanoparlantes se dice Riojaneiro).

[28] *devagar*, palabra portuguesa (y del español antiguo) por *despacio*.

cada hora que descuelgas
se vuelve una hora y más.

Filtran las nubes tus montes,
esponjas de claridad,
y hasta el plumón enrareces
que arrastra la tempestad.

¿Qué enojo se te resiste
si a cada sabor de sal
tiene azúcares el aire
y la luz tiene piedad?

La tierra en el agua juega
y el campo con la ciudad,
y entra la noche en la tarde
abierta de par en par.

Junto al rumor de la casa
anda el canto del sabiá [29]
y la mujer y la fruta
dan su emanación igual.

El que una vez te conoce
tiene de ti soledad,
y el que en ti descansa tiene
olvido de lo demás.

Busque el desorden del alma
tu clara ley de cristal,
sopor llueva el cabeceo
de tu palmera real.

---

[29] *sabiá*, pájaro brasileño y argentino que canta dulce y melo-
diosamente.

Que yo como los viajeros
llevo en el saco mi hogar,
y soy capitán de barco
sin carta de marear.

Y no quiero, Río de Enero,
más providencia en mi mal
que el rodar sobre tus playas
al tiempo de naufragar.

—La mano acudió a la frente
queriéndola sosegar.
No era la mano, era el viento.
No era el viento, era tu paz.

EL RUIDO Y EL ECO

Rondas de máscara y música,
posadas de Navidad [30]:
México, su Noche-Buena,
y Río, su Carnaval.

Allá, balsas de jardines [31],
vihuelas para remar,
y sombreros quitasoles
que siguen el curso astral.

Acá, en la punta del pie
gira el tamanco [32] al danzar,
y las ajorcas son «cobras» [33]
que suben del calcañar.

---

[30] *posadas*, celebración mexicana de la Navidad, que consiste
en procesiones de casa en casa a imitación de José y María, que
andaban buscando posada en la noche del nacimiento de Cristo
(la «Nochebuena»).

[31] *balsas de jardines*, balsas o barcos que flotan por Xochimilco
o el Canal de la Viga en México, ofreciendo flores.

[32] *tamanco*, especie de sandalia o chanclo brasileño de madera.

[33] *«cobra»*, (portugués) culebra, serpiente.

Si aquí el coco de Alagoas [34]
labrado en encaje, allá
la nuez de San Juan de Ulúa [35],
calada con el puñal.

Dan las mulatas del Mangue [36]
desnudas a la mitad,
de ahuacate y zapotillo [37]
la cosecha natural.

¡Y yo, soñando que veo
piraguas por el Canal,
rebozos y trenzas negras
en que va injerto el rosal!

Entreluz de dos visiones
refleja y libra el cristal;
dos madejas enlazadas
se tuercen en mi telar.

¿Dónde estoy, que no lo acierto,
que no me puedo acordar?
Ando perdido en la calle,
náufrago de la ciudad.

Válganme los dos patronos
en tanta perplejidad:
válgame la Guadalupe [38]
válgame San Sebastián [39].

---

[34] *el coco de Alagoas*, danza popular del Estado de Alagoas, en el nordeste del Brasil. En español, el «coco» también es un fantasma con que se mete miedo a los niños.

[35] *la nuez de San Juan de Ulúa (en el puerto de Veracruz, en México)*, se trata de nueces talladas en forma de cara humana o de mono, formando muñecos.

[36] *el Mangue*, canal del Río de Janeiro.

[37] *zapotillo*, fruta también conocida como *chico zapote*.

[38] *la Guadalupe*, la Santa Patrona de México.

[39] *San Sebastián*, el Santo Patrón de Río de Janeiro.

Válganme. —Pero no quieren
mi delirio disipar,
que lo huyo y lo persigo,
y lo tengo que saciar.

—Esto cantaba un sencillo,
afanándose en juntar
la Estrella y la Cruz del Sur[40]
y el Águila y el Nopal[41].

Romances del Río de Enero (1932).

VISITACIÓN

—Soy la Muerte —me dijo. No sabía
que tan estrechamente me cercara,
al punto de volcarme por la cara
su turbadora vaharada fría.

Ya no intento eludir su compañía:
mis pasos sigue, transparente y clara,
y desde entonces no me desampara
ni me deja de noche ni de día.

—¡Y pensar —confesé— que de mil modos
quise disimularte con apodos,
entre miedos y errores confundida!

«Más tienes de caricia que de pena.»
Eras alivio y te llamé cadena.
Eras la muerte y te llamé la vida.

Agosto 1951.

---

[40] *la Estrella y la Cruz del Sur*, el emblema nacional del Brasil.
[41] *el Águila y el Nopal*, el emblema nacional de México (con el águila, la serpiente).

Ensayos y divagaciones

El Ensayo: ...y el ensayo: este centauro
de los géneros, donde hay de todo y cabe
todo, propio hijo caprichoso de una cultura
que no puede ya responder al orbe circular
y cerrado de los antiguos, sino a la curva
abierta, al proceso en marcha, al «etcétera»
cantado ya por un poeta contemporáneo
preocupado de filosofía.

A. R., «Las nuevas artes», *Los trabajos
y los días.*

El *centauro* de la mitología griega es un ser curioso,
híbrido de hombre y caballo. *Ensayo* es examen de
una cosa, prueba o exploración provisoria. *El ensayo*
es un género o una forma literaria híbrida, flexible,
dinámica y abierta a infinitas posibilidades de expresión, nos parece decir don Alfonso. —La flexible
forma del ensayo, podemos añadir, permite la exploración libre (sin compromisos formales ni pretensiones de agotar la materia) de cualquier tema, en prosas
de variable extensión y desde cualquier punto de vista.
El estilo o los estilos del ensayo pueden variar entre
lo serio y lo frívolo o informal, desde lo más didáctico-
expositivo hasta lo más artístico-poemático: pero su
carácter netamente personal y su tendencia a lo más
bien asistemático o informal es lo que suele distin-
guirlo de la monografía o tratado exhaustivamente
sistemático. Esta flexibilidad y esta personabilidad del
ensayo ofrecen así el modo de expresión ideal para el
humanista completo que es Alfonso Reyes. Cuantita-

tivamente su obra ensayística es la más abundante, y encontramos en su obra la variedad más amplia de temas y de tipos de ensayo desde la monografía formal hasta el brevísimo ensayo poemático o el digresivo ensayo conversacional.

Esta riqueza y esta variedad se reflejan plenamente en la selección ensayística que aquí ofrecemos al estudioso lector. Empezamos con la *Visión de Anáhuac*, perfecta recreación poemática de la esencia de México en su doble dimensión histórico-geográfica. Pasamos a dos breves impresiones de España: *Voces de la calle*, *Las Cigüeñas*. Siguen dos retratos ensayísticos muy dinámicos: doble retrato del músico Stravinsky y del coreógrafo Diaghilew *(La improvisación)*, y el del joven piloto francés de la Primera Guerra Mundial, *Guynemer;* un breve ensayito familiar titulado *Los objetos moscas* y un par de ensayos que enfocan familiarmente ciertos temas de lingüística *(Aduana lingüística)* y de teoría literaria *(Sobre la novela policial)*.

Ensayos y divagaciones es el subtítulo que da Reyes a uno de sus libros, *El cazador*. La «divagación», o ensayo informal de digresión libre que salta de tema en tema y se aproxima a la conversación natural, es una variedad predilecta, muy practicada por don Alfonso. De la divagación libre ofrecemos tres ejemplos notables: *Las grullas, el tiempo y la política; Por mayo era, por mayo;* y *Memorias de cocina y bodega: Descanso XIII.*

El tema de *Las grullas...* es precisamente el tema de la conversación, o más específicamente las conversaciones sobre el tiempo, y luego las conversaciones sobre la política; y el ensayo sigue un camino circular, empezando y terminando con la misma observación sobre el tiempo. *Por mayo...* también es una divagación de plan circular, que empieza hablando de las flores o de la flor, y va cambiando de tema específico de la flor al ramo de flores, al jardín y los jardines, al campo; toma otro camino alternativo de «la flor» a «la planta» a «la agricultura», regresando de nuevo al jardín y a la flor al final. El *Descanso XIII* de las *Memorias de cocina y bodega* habla de todas las cosas imaginables en torno al tema central de la comida y el arte culinario mexicanos.

Pasamos a tres miniaturas ensayísticas de la serie *Las burlas veras*, ensayitos que tienden a andar entre lo serio y lo frívolo o presentar una pequeña paradoja, por el estilo del «Believe it or not»: aquí dos retratos literarios mexicanos (*Sor Juana, Alarcón*) y una fantasía autobiográfica (*De turismo en la tierra*). Redondeamos la colección con dos grandes ensayos que atan cabos sueltos e interrelacionan todas las preocupaciones principales del humanista Alfonso Reyes: *Alejandro de Humboldt*, típica confrontación de Europa y América a través de la figura de un gran europeo americanista; y *El mundo, nuestro escenario*, capítulo del libro hasta ahora inédito, *Andrenio: perfiles del hombre*, en que don Alfonso sintetiza toda su filosofía del Hombre.

Visión de Anáhuac[1] (1519)

Viajero: has llegado a la región más
transparente del aire[2].

I

En la era de los descubrimientos, aparecen libros
llenos de noticias extraordinarias y amenas narraciones geográficas. La historia, obligada a descubrir
nuevos mundos, se desborda del cauce clásico, y entonces el hecho político cede el puesto a los discursos
etnográficos y a la pintura de civilizaciones. Los historiadores del siglo XVI fijan el carácter de las tierras
recién halladas, tal como éste aparecía a los ojos de
Europa: acentuado por la sorpresa, exagerado a veces.
El diligente Giovanni Battista Ramusio[3] publica su
peregrina recopilación *Delle Navigationi et Viaggi* en
Venecia el año de 1550. Consta la obra de tres volúmenes *in folio*, que luego fueron reimpresos aislada-
mente, y está ilustrada con profusión y encanto. De su
utilidad no puede dudarse: los cronistas de Indias
del 600 (Solís[4] al menos) leyeron todavía alguna carta

---

[1] *Anáhuac*. Nombre indígena del valle de México, en que se
encontraba la ciudad antigua de Tenochtitlan, hoy ciudad de
México.

[2] *Viajero: has llegado...* Este epígrafe, que ha sido falsamente
atribuido a Alejandro de Humboldt, es invención propia de Alfonso Reyes, como claramente se ve en otro texto suyo, *El paisaje
en la poesía mexicana del siglo XIX (OC, I)*.

[3] *G. B. Ramusio* (1485-1557). Geógrafo veneciano.

[4] *Antonio de Solís* (1610-1686). Historiador español, designado
cronista mayor de las Indias.

de Cortés en las traducciones italianas que ella contiene.

En sus estampas, finas y candorosas, según la elegancia del tiempo, se aprecia la progresiva conquista de los litorales; barcos diminutos se deslizan por una raya que cruza el mar; en pleno océano, se retuerce, como cuerno de cazador, un monstruo marino, y en el ángulo irradia picos una fabulosa estrella náutica. Desde el seno de la nube esquemática, sopla un Éolo mofletudo, indicando el rumbo de los vientos —constante cuidado de los hijos de Ulises . Vense pasos de la vida africana, bajo la tradicional palmera y junto al cono pajizo de la choza, siempre humeante; hombres y fieras de otros climas, minuciosos panoramas, plantas exóticas y soñadas islas. Y en las costas de la Nueva Francia[5], grupos de naturales entregados a los usos de la caza y la pesquería, al baile o a la edificación de ciudades. Una imaginación como la de Stevenson[6], capaz de soñar *La isla del tesoro* ante una cartografía infantil, hubiera tramado, sobre las estampas del Ramusio, mil y un regocijos para nuestros días nublados.

Finalmente, las estampas describen la vegetación de Anáhuac. Deténganse aquí nuestros ojos: he aquí un nuevo arte de naturaleza.

La mazorca de Ceres y el plátano paradisíaco, las pulpas frutales llenas de una miel desconocida; pero, sobre todo, las plantas típicas: la biznaga[7] mexicana —imagen del tímido puerco espín—, el maguey (del cual se nos dice que sorbe sus jugos a la roca), el maguey que se abre a flor de tierra, lanzando a los aires su plumero; los «órganos» paralelos, unidos

---

[5] *Nueva Francia.* La colonia francesa en la América del Norte.

[6] *Robert Louis Stevenson* (1850-1894). Novelista inglés que Reyes ha traducido y estudiado.

[7] *biznaga*, planta cactácea cuyas espinas se clavaban los indios en los sacrificios.

como las cañas de la flauta y útiles para señalar la linde; los discos del nopal —semejanza del candelabro—, conjugados en una superposición necesaria, grata a los ojos: todo ello nos aparece como una flora emblemática, y todo como concebido para blasonar un escudo. En los agudos contornos de la estampa, fruto y hoja, tallo y raíz, son caras abstractas, sin color que turbe su nitidez.

Esas plantas protegidas de púas nos anuncian que aquella naturaleza no es, como la del sur o las costas, abundante en jugos y vahos nutritivos. La tierra de Anáhuac apenas reviste feracidad a la vecindad de los lagos. Pero, a través de los siglos, el hombre conseguirá desecar sus aguas, trabajando como castor; y los colonos devastarán los bosques que rodean la morada humana, devolviendo al valle su carácter propio y terrible: —En la tierra salitrosa y hostil, destacadas profundamente, erizan sus garfios las garras vegetales, defendiéndose de la seca.

Abarca la desecación del valle desde el año de 1449 hasta el año de 1900. Tres razas han trabajado en ella, y casi tres civilizaciones —que poco hay de común entre el organismo virreinal y la prodigiosa ficción política que nos dio treinta años de paz augusta [8]. Tres regímenes monárquicos, divididos por paréntesis de anarquía, son aquí ejemplo de cómo crece y se corrige la obra del Estado, ante las mismas amenazas de la naturaleza y la misma tierra que cavar. De Netzahualcóyotl [9] al segundo Luis de Velasco [10], y de éste a Porfirio Díaz, parece correr la consigna de secar la tierra. Nuestro siglo nos encontró todavía echando la última palada y abriendo la última zanja.

[8] ...*treinta años de paz augusta*. Se refiere irónicamente al régimen mexicano de Porfirio Díaz (1830-1915), presidente de 1877 a 1911.

[9] *Netzahualcóyotl* (1431-72). Rey poeta indígena mexicano.

[10] *Luis de Velasco*. Virrey de México de 1590 a 1595 y luego del Perú.

7

Es la desecación de los lagos como un pequeño drama con sus héroes y su fondo escénico. Ruiz de Alarcón lo había presentido vagamente en su comedia de *El semejante a sí mismo*. A la vista de numeroso cortejo, presidido por Virrey y Arzobispo, se abren las esclusas: las inmensas aguas entran cabalgando por los tajos. Ése, el escenario. Y el enredo, las intrigas de Alonso Arias[11] y los dictámenes adversos de Adrián Boot[12], el holandés suficiente; hasta que las rejas de la prisión se cierran tras Enrico Martín[13], que alza su nivel con mano segura.

Semejante al espíritu de sus desastres, el agua vengativa espiaba de cerca a la ciudad; turbaba los sueños de aquel pueblo gracioso y cruel, barriendo sus piedras florecidas; acechaba, con ojo azul, sus torres valientes.

Cuando los creadores del desierto acaban su obra, irrumpe el espanto social.

El viajero americano está condenado a que los europeos le pregunten si hay en América muchos árboles. Les sorprenderíamos hablándoles de una Castilla americana más alta que la de ellos, más armoniosa, menos agria seguramente (por mucho que en vez de colinas la quiebren enormes montañas), donde el aire brilla como espejo y se goza de un otoño perenne. La llanura castellana sugiere pensamientos ascéticos: el valle de México, más bien pensamientos fáciles y sobrios. Lo que una gana en lo trágico, la otra en plástica rotundidad.

Nuestra naturaleza tiene dos aspectos opuestos. Uno, la cantada selva virgen de América, apenas me-

---

[11] *Alonso Arias*. Arquitecto que hizo el túmulo para las exequias de Felipe II de España en 1599.

[12] *Adrián Boot*. Ingeniero holandés enviado a México hacia 1614 por el rey de España para ayudar con el problema del desagüe.

[13] *Enrico Martín (o Heinrich Martin)*. Cosmógrafo de origen alemán (c. 1555-1632), nombrado cosmógrafo real en México.

rece describirse. Tema obligado de admiración en el Viejo Mundo, ella inspira los entusiasmos verbales de Chateaubriand[14]. Horno genitor dónde las energías parecen gastarse con abandonada generosidad, donde nuestro ánimo naufraga en emanaciones embriagadoras, es exaltación de la vida a la vez que imagen de la anarquía vital: los chorros de verdura por las rampas de la montaña; los nudos ciegos de las lianas; toldos de platanares; sombra engañadora de árboles que adormecen y roban las fuerzas de pensar; bochornosa vegetación; largo y voluptuoso torpor, al zumbido de los insectos. ¡Los gritos de los papagayos, el trueno de las cascadas, los ojos de las fieras, *le dard empoisonné du sauvage!*[15] En estos derroches de fuego y sueño —poesía de hamaca y de abanico— nos superan seguramente otras regiones meridionales.

Lo nuestro, lo de Anáhuac, es cosa mejor y más tónica. Al menos, para los que gusten de tener a toda hora alerta la voluntad y el pensamiento claro. La visión más propia de nuestra naturaleza está en las regiones de la mesa central: allí la vegetación arisca y heráldica, el paisaje organizado, la atmósfera de extremada nitidez, en que los colores mismos se ahogan —compensándolo la armonía general del dibujo; el éter luminoso en que se adelantan las cosas con un resalte individual; y, en fin, para de una vez decirlo en las palabras del modesto y sensible Fray Manuel de Navarrete[16].

una luz resplandeciente
que hace brillar la cara de los cielos.

---

[14] *François René de Chateaubriand* (1768-1848). Escritor francés que describe imaginativa y líricamente las selvas primitivas del Misisipí americano en su novela *Atala*.

[15] *...le dard empoisonné du sauvage!*, el dardo envenenado del salvaje.

[16] *Fray Manuel de Navarrete* (1768-1809). Poeta mexicano neoclásico que describe idílicamente el paisaje. Esta cita es de su poema *La mañana*.

Ya lo observaba un grande viajero, que ha sancionado con su nombre el orgullo de la Nueva España[17]; un hombre clásico y universal como los que criaba el Renacimiento, y que resucitó en su siglo la antigua manera de adquirir la sabiduría viajando, y el hábito de escribir únicamente sobre recuerdos y meditaciones de la propia vida: en su *Ensayo político*, el barón de Humboldt[18] notaba la extraña reverberación de los rayos solares en la masa montañosa de la altiplanicie central, donde el aire se purifica.

En aquel paisaje, no desprovisto de cierta aristocrática esterilidad, por donde los ojos yerran con discernimiento, la mente descifra cada línea y acaricia cada ondulación; bajo aquel fulgurar del aire y en su general frescura y placidez, pasearon aquellos hombres ignotos la amplia y meditabunda mirada espiritual. Extáticos ante el nopal del águila y de la serpiente —compendio feliz de nuestro campo— oyeron la voz del ave agorera que les prometía seguro asilo sobre aquellos lagos hospitalarios. Más tarde, de aquel palafito había brotado una ciudad, repoblada con las incursiones de los mitológicos caballeros que llegaban de las Siete Cuevas —cuna de las siete familias derramadas por nuestro suelo. Más tarde, la ciudad se había dilatado en imperio, y el ruido de una civilización ciclópea, como la de Babilonia y Egipto, se prolongaba, fatigado, hasta los infaustos días de Moctezuma el doliente. Y fue entonces cuando, en envidiable hora de asombro, traspuestos los volcanes nevados, los hombres de Cortés («polvo, sudor y hierro»)[18a] se asomaron sobre aquel

17 *Nueva España*. Nombre del virreinato que incluía a México y Guatemala, en la época colonial.

18 *Alexander von Humboldt* (1769-1859). Sabio alemán que se interesó por Hispanoamérica. Véase el ensayo *Alejandro de Humboldt* en este volumen.

18a Cita de Manuel Machado, *Castilla* («—polvo, sudor y hierro —el Cid cabalga.»).

orbe de sonoridad y fulgores —espacioso circo de montañas.

A sus pies, en un espejismo de cristales, se extendía la pintoresca ciudad, emanada toda ella del templo, por manera que sus calles radiantes prolongaban las aristas de la pirámide.

Hasta ellos, en algún oscuro rito sangriento, llegaba —ululando— la queja de la chirimía y, multiplicado en el eco, el latido del salvaje tambor.

II

> Parecía a las casas de encantamiento que cuentan en el libro de Amadís... No sé cómo lo cuente.
>
> BERNAL DÍAZ DEL CASTILLO [19]

Dos lagunas ocupan casi todo el valle: la una salada, la otra dulce. Sus aguas se mezclan con ritmos de marea, en el estrecho formado por las sierras circundantes y un espinazo de montañas que parte del centro. En mitad de la laguna salada se asienta la metrópoli, como una inmensa flor de piedra, comunicada a tierra firme por cuatro puertas y tres calzadas, anchas de dos lanzas jinetas. En cada una de las cuatro puertas, un ministro grava las mercancías. Agrúpanse los edificios en masas cúbicas; la piedra está llena de labores, de grecas. Las casas de los señores tienen vergeles en los pisos altos y bajos, y un terrado por donde pudieran correr cañas hasta treinta hombres a caballo. Las calles resultan cortadas, a trechos, por canales. Sobre los canales saltan unos puentes, unas vigas de madera labrada capaces de diez caballeros. Bajo los puentes se deslizan las pi-

---

[19] *Bernal Díaz del Castillo* (c. 1495-1584). Soldado de Cortés y cronista de la conquista de México, autor de *Historia verdadera de la conquista de la Nueva España*, refutación en parte del cronista más «oficial», López de Gómara.

raguas llenas de fruta. El pueblo va y viene por la orilla de los canales, comprando el agua dulce que ha de beber: pasan de unos brazos a otros las rojas vasijas. Vagan por los lugares públicos personas trabajadoras y maestros de oficio, esperando quien los alquile por sus jornales. Las conversaciones se animan sin gritería: finos oídos tiene la raza, y, a veces, se habla en secreto. Óyense unos dulces chasquidos; fluyen las vocales, y las consonantes tienden a licuarse. La charla es una canturía gustosa. Esas xés, esas tlés, esas chés [20] que tanto nos alarman escritas, escurren de los labios del indio con una suavidad de aguamiel.

El pueblo se atavía con brillo, porque está a la vista de un grande emperador. Van y vienen las túnicas de algodón rojas, doradas, recamadas, negras y blancas, con ruedas de plumas superpuestas o figuras pintadas. Las caras morenas tienen una impavidez sonriente, todas en el gesto de agradar. Tiemblan en la oreja o la nariz las arracadas pesadas, y en las gargantas los collaretes de ocho hilos, piedras de colores, cascabeles y pinjantes de oro. Sobre los cabellos, negros y lacios, se mecen las plumas al andar. Las piernas musculosas lucen aros metálicos, llevan antiparas de hoja de plata con guarniciones de cuero —cuero de venado amarillo y blanco. Suenan las flexibles sandalias. Algunos calzan zapatones de un cuero como de marta y suela blanca cosida con hilo dorado. En las manos aletea el abigarrado moscador, o se retuerce el bastón en forma de culebra con dientes y ojos de nácar, puño de piel labrada y pomas de pluma. Las pieles, las piedras y metales, la pluma y el algodón confunden sus tintes en un incesante tornasol y —comunicándoles su calidad y finura— hacen de los hombres unos delicados juguetes.

---

[20] ...xés, ...tlés, ...chés..., sonidos comunes en la lengua indígena (el náhuatl, náhoa o nahua) y que se encuentran en numerosos nombres mexicanos indígenas, como *Xochitl*, *Tenochtitlan*.

Tres sitios concentran la vida de la ciudad: en toda ciudad normal sucede otro tanto. Uno es la casa de los dioses, otro el mercado, y el tercero el palacio del emperador. Por todas las colaciones y barrios aparecen templos, mercados y palacios menores. La triple unidad municipal se multiplica, bautizando con un mismo sello toda la metrópoli.

El templo mayor es un alarde de piedra. Desde las montañas de basalto y de pórfido que cercan el valle, se han hecho rodar moles gigantescas. Pocos pueblos —escribe Humboldt— habrán movido mayores masas. Hay un tiro de ballesta de esquina a esquina del cuadrado, base de la pirámide. De la altura, puede contemplarse todo el panorama chinesco. Alza el templo cuarenta torres, bordadas por fuera, y cargadas en lo interior de imaginería, zaquizamíes y maderamiento picado de figuras y monstruos. Los gigantescos ídolos —afirma Cortés— están hechos con una mezcla de todas las semillas y legumbres que son alimento del azteca. A su lado, el tambor de piel de serpiente que deja oír a dos leguas su fúnebre retumbo; a su lado, bocinas, trompetas y navajones. Dentro del templo pudiera caber una villa de quinientos vecinos. En el muro que lo circunda, se ven unas moles en figura de culebras asidas, que serán más tarde pedestales para las columnas de la catedral. Los sacerdotes viven en la muralla o cerca del templo; visten hábitos negros, usan los cabellos largos y despeinados, evitan ciertos manjares, practican todos los ayunos. Junto al templo están recluidas las hijas de algunos señores, que hacen vida de monjas y gastan los días tejiendo en pluma.

Pero las calaveras expuestas, y los testimonios ominosos del sacrificio, pronto alejan al soldado cristiano, que, en cambio, se explaya con deleite en la descripción de la feria.

Se hallan en el mercado —dice— «todas cuantas cosas se hallan en toda la tierra». Y después explica que algunas más, en punto a mantenimientos, vituallas, platería. Esta plaza principal está rodeada de portales, y es igual a dos de Salamanca. Discurren por ella diariamente —quiere hacernos creer— 60.000 hombres cuando menos. Cada especie o mercaduría tiene su calle, sin que se consienta confusión. Todo se vende por cuenta y medida, pero no por peso. Y tampoco se tolera el fraude: por entre aquel torbellino, andan siempre disimulados unos celosos agentes, a quienes se ha visto romper las medidas falsas. Diez o doce jueces, bajo su solio, deciden los pleitos del mercado, sin ulterior trámite de alzada, en equidad y a vista del pueblo. A aquella gran plaza traían a tratar los esclavos, atados en unas varas largas y sujetos por el collar.

Allí venden —dice Cortés— joyas de oro y plata, de plomo, de latón, de cobre, de estaño; huesos, caracoles y plumas; tal piedra labrada y por labrar; adobes, ladrillos, madera labrada y por labrar. Venden también oro en grano y en polvo, guardado en cañutos de pluma que, con las semillas más generales, sirven de moneda. Hay calles para la caza, donde se encuentran todas las aves que congrega la variedad de los climas mexicanos, tales como perdices y codornices, gallinas, lavancos[21], dorales, zarcetas, tórtolas, palomas y pajaritos en cañuela: buharros[22] y papagayos, halcones, águilas, cernícalos, gavilanes. De las aves de rapiña se venden también los plumones con cabeza, uñas y pico. Hay conejos, liebres, venados, gamos, tuzas[23], topos, lirones y perros pequeños que crían para comer castrados. Hay calle de herbolarios, donde se venden raíces y yerbas de salud, en cuyo

---

[21] *lavancos*, patos salvajes.
[22] *buharros*, aves de rapiña.
[23] *tuzas*, pequeños mamíferos roedores.

conocimiento empírico se fundaba la medicina: más de 1.200 hicieron conocer los indios al doctor Francisco Hernández, médico de cámara de Felipe II y Plinio de la Nueva España. Al lado, los boticarios ofrecen ungüentos, emplastos y jarabes medicinales. Hay casas de barbería, donde lavan y rapan las cabezas. Hay casas donde se come y bebe por precio. Mucha leña, astilla de ocote[24], carbón y braserillos de barro. Esteras para la cama, y otras, más finas, para el asiento o para esterar salas y cámaras. Verduras en cantidad, y, sobre todo, cebollas, puerro, ajo, borraja, mastuerzo, berro, acedera, cardos y tagarninas[25]. Los capulines y las ciruelas son las frutas que más se venden. Miel de abejas y cera de panal; miel de caña de maíz, tan untuosa y dulce como la de azúcar; miel de maguey[26], de que hacen también azúcares y vinos. Cortés, describiendo estas mieles al Emperador Carlos V, le dice con encantadora sencillez: «¡mejores que el arrope!» Los hilados de algodón para colgaduras, tocas, manteles y pañizuelos le recuerdan la alcaicería de Granada. Asimismo hay mantas, abarcas, sogas, raíces dulces y reposterías, que sacan del henequén[27]. Hay hojas vegetales de que hacen su papel. Hay cañutos de olores con liquidámbar, llenos de tabaco. Colores de todos los tintes y matices. Aceites de chía que unos comparan a mostaza y otros a zaragatona, con que hacen la pintura inatacable por el agua: aún conserva el indio el secreto de esos brillos de esmalte, lujo de sus jícaras y vasos de palo. Hay cueros de venado con pelo y sin él, grises y blancos, artificiosamente pintados; cueros de nutrias, tejones y gatos monteses, de ellos adobados y de ellos sin adobar. Vasijas, cántaros y jarros de toda forma y fábrica,

---

[24] *ocote (Méx.)*, tipo de pino resinoso.
[25] *tagarninas*, cardillos.
[26] *maguey*, pita o agave, planta de la que se hacen las bebidas mexicanas *pulque*, *mezcal* y *tequila*.
[27] *henequén*, otra variedad de agave.

pintados, vidriados y de singular barro y calidad. Maíz en grano y en pan, superior al de las Islas conocidas y Tierra Firme[28]. Pescado fresco y salado, crudo y guisado. Huevos de gallinas y ánsares, tortillas de huevos de las otras aves.

El zumbar y ruido de la plaza —dice Bernal Díaz— asombra a los mismos que han estado en Constantinopla y en Roma. Es como un mareo de los sentidos, como un sueño de Breughel[29], donde las alegorías de la materia cobran un calor espiritual. En pintoresco atolondramiento, el conquistador va y viene por las calles de la feria y conserva de sus recuerdos la emoción de un raro y palpitante caos: las formas se funden entre sí; estallan en cohete los colores; el apetito despierta al olor picante de las yerbas y las especies. Rueda, se desborda del azafate[30] todo el paraíso de la fruta: globos de color, ampollas transparentes, racimos de lanzas, piñas escamosas y cogollos de hojas. En las bateas redondas de sardinas, giran los reflejos de plata y de azafrán, las orlas de aletas y colas en pincel; de una cuba sale la bestial cabeza del pescado, bigotudo y atónito. En las calles de la cetrería, los picos sedientos; las alas azules y guindas, abiertas como un laxo abanico; las patas crispadas que ofrecen una consistencia terrosa de raíces; el ojo, duro y redondo, del pájaro muerto. Más allá, las pilas de granos vegetales, negros, rojos, amarillos y blancos, todos relucientes y oleaginosos. Después, la venatería confusa, donde sobresalen, por entre colinas de lomos y flores de manos callosas, un cuerno, un hocico, una lengua colgante: fluye por el suelo un hilo rojo que

---

[28] *Tierra Firme*. El continente: nombre dado por los primeros descubridores de América originariamente a las costas de Colombia y Venezuela.

[29] *Breughel*. Familia de pintores flamencos que incluye a Pieter Breughel el Joven (1564-1637), aficionado a escenas terribles y así apodado «Breughel de Infierno».

[30] *azafate*, canastillo.

se acercan a lamer los perros. A otro término, el jardín artificial de tapices y de tejidos; los juguetes de metal y de piedra, raros y monstruosos, sólo comprensibles —siempre— para el pueblo que los fabrica y juega con ellos; los mercaderes rifadores, los joyeros, los pellejeros, los alfareros, agrupados rigurosamente por gremios, como en las procesiones de Alsloot[31]. Entre las vasijas morenas se pierden los senos de la vendedora. Sus brazos corren por entre el barro como en su elemento nativo: forman asas a los jarrones y culebrean por los cuellos rojizos. Hay, en la cintura de las tinajas, unos vivos de negro y oro que recuerdan el collar ceñido a su garganta. Las anchas ollas parecen haberse sentado, como la india, con las rodillas pegadas y los pies paralelos. El agua, rezumando, gorgoritea en los búcaros olorosos.

Lo más lindo de la plaza —declara Gómara— [32] está en las obras de oro y pluma, de que contrahacen cualquier cosa y color. Y son los indios tan oficiales desto, que hacen de pluma una mariposa, un animal, un árbol, una rosa, las flores, las yerbas y peñas, tan al propio que parece lo mismo que o está vivo o natural. Y acontéceles no comer en todo un día, poniendo, quitando y asentando la pluma, y mirando a una parte y otra, al sol, a la sombra, a la vislumbre, por ver si dice mejor a pelo o contrapelo, o al través, de la haz o del envés; y, en fin, no la dejan de las manos hasta ponerla en toda perfección. Tanto sufrimiento pocas naciones le tienen, mayormente donde hay cólera como en la nuestra.

El oficio más primo y artificioso es platero; y así, sacan al mercado cosas bien labradas con piedra y hundidas con fuego: un plato ochavado, el un cuarto de oro y el otro de plata, no soldado, sino fundido y en la fundición pegado; una calderica

31 *Denis van Alsloot* (1599-1628). Otro pintor flamenco.

32 *Francisco López de Gómara* (c. 1510-1572). Cronista de la conquista de México y autor de *Historia general de las Indias*. (Vid. nota 19.)

que sacan con su asa, como acá una campana, pero suelta; un pesce con una escama de plata y otra de oro, aunque tengan muchas. Vacían un papagayo, que se le ande la lengua, que se le meneen la cabeza y las alas. Funden una mona, que juegue pies y cabeza y tenga en las manos un huso que parezca que hila, o una manzana que parezca que come. Y lo tuvieron a mucho nuestros españoles, y los plateros de acá no alcanzan el primor. Esmaltan asimismo, engastan y labran esmeraldas, turquesas y otras piedras, y agujeran perlas...

Los juicios de Bernal Díaz no hacen ley en materia de arte, pero bien revelan el entusiasmo con que los conquistadores consideraron al artífice indio: «Tres indios hay en la ciudad de México —escribe— tan primos en su oficio de entalladores y pintores, que se dicen Marcos de Aquino y Juan de la Cruz y el Crespillo, que si fueran en tiempo de aquel antiguo y afamado Apeles [33] y de Miguel Ángel o Berruguete, que son de nuestros tiempos, les pusieran en el número dellos.»

El emperador tiene contrahechas en oro y piedras y plumas todas las cosas que, debajo del cielo, hay en su señorío. El emperador aparece, en las viejas crónicas, cual un fabuloso Midas [34] cuyo trono reluciera tanto como el sol. Si hay poesía en América —ha podido decir el poeta— [35], ella está en el gran Moctezuma de la silla de oro. Su reino de oro, su palacio de oro, sus ropajes de oro, su carne de oro. Él mismo ¿no ha de levantar sus vestiduras para convencer a Cortés de que no es de oro? Sus dominios

[33] *Apeles*. El más ilustre de los pintores griegos (siglo IV a. C.). (Según Bernal Díaz, estos artistas indios eran dignos de compararse a los artistas más famosos, antiguos y modernos, de Europa.)

[34] *Midas*. Rey frigio legendario que obtuvo de Baco la facultad de cambiar en oro cuanto tocaba.

[35] *...el poeta*, Rubén Darío, el poeta nicaragüense (1867-1916), jefe del grupo modernista. Así dice en las Palabras Liminares de sus *Prosas profanas* (1896).

se extienden hasta términos desconocidos; a todo correr, parten a los cuatro vientos sus mensajeros, para hacer ejecutar sus órdenes. A Cortés, que le pregunta si era vasallo de Moctezuma, responde un asombrado cacique:

—Pero, ¿quién no es su vasallo?

Los señores de todas esas tierras lejanas residen mucha parte del año en la misma corte, y envían sus primogénitos al servicio de Moctezuma. Día por día acuden al palacio hasta 600 caballeros, cuyos servidores y cortejo llenan dos o tres dilatados patios y todavía hormiguean por la calle, en los aledaños de los sitios reales. Todo el día pulula en torno al rey el séquito abundante, pero sin tener acceso a su persona. A todos se sirve de comer a un tiempo, y la botillería y despensa quedan abiertas para el que tuviere hambre y sed.

> Venían 300 ó 400 mancebos con el manjar, que era sin cuento, porque todas las veces que comía y cenaba [el emperador] le traían todas las maneras de manjares, así de carnes como de pescados y frutas y yerbas que en toda la tierra se podían beber. Y porque la tierra es fría, traían debajo de cada plato y escudilla de manjar un braserico con brasa, por que no se enfriase.

Sentábase el rey en una almohadilla de cuero, en medio de un salón que se iba poblando con sus servidores; y mientras comía, daba de comer a cinco o seis señores ancianos que se mantenían desviados de él. Al principio y fin de las comidas, unas servidoras le daban aguamanos, y ni la toalla, platos, escudillas ni braserillos que una vez sirvieron volvían a servir. Parece que mientras cenaba se divertía con los chistes de sus juglares y jorobados, o se hacía tocar música de zampoñas, flautas, caracoles, huesos y atabales, y otros instrumentos así. Junto a él ardían unas ascuas olorosas, y le protegía de las miradas un biombo de madera. Daba a los truhanes los relieves de su festín, y les convidaba con jarros de chocolate. «De vez en cuando —recuerda Bernal Díaz— traían unas como copas de oro fino, con cierta bebida hecha del mismo cacao, que decían era para tener acceso con mujeres.»

Quitada la mesa, ida la gente, comparecían algunos señores, y después los truhanes y jugadores de pies. Unas veces el emperador fumaba y reposaba, y otras veces tendían una estera en el patio, y comenzaban los bailes al compás de los leños huecos. A un fuerte silbido rompen a sonar los tambores, y los danzantes van apareciendo con ricos mantos, abanicos, ramilletes de rosas, papahigos[36] de pluma que fingen cabezas de águilas, tigres y caimanes. La danza alterna con el canto; todos se toman de la mano y empiezan por movimientos suaves y voces bajas. Poco a poco van animándose; y, para que el gusto no decaiga, circulan por entre las filas de danzantes los escanciadores, colando licores en los jarros.

Moctezuma «vestíase todos los días cuatro maneras de vestiduras, todas nuevas, y nunca más se las vestía otra vez. Todos los señores que entraban en su casa, no entraban calzados», y cuando comparecían ante él, se mantenían humillados, la cabeza baja y sin mirarle a la cara. «Ciertos señores —añade Cortés— reprendían a los españoles, diciendo que cuando hablaban conmigo estaban exentos, mirándome a la cara, que parecía desacatamiento y poca vergüenza.» Descalzábanse, pues, los señores, cambiaban los ricos mantos por otros más humildes, y se adelantaban con tres reverencias: «Señor —mi señor— gran señor.» «Cuando salía fuera el dicho Moctezuma, que era pocas veces, todos los que iban por él y los que topaba por las calles le volvían el rostro, y todos los demás se postraban hasta que él pasaba» —nota

___

[36] *papahigos*, gorros.

Cortés. Precedíale uno como lictor con tres varas delgadas, una de las cuales empuñaba él cuando descendía de las andas. Hemos de imaginarlo cuando se adelanta a recibir a Cortés, apoyado en brazos de dos señores, a pie y por mitad de una ancha calle. Su cortejo, en larga procesión, camina tras él formando dos hileras, arrimado a los muros. Precédenle sus servidores, que extienden tapices a su paso.

El emperador es aficionado a la caza; sus cetreros pueden tomar cualquier ave a ojeo, según es fama; en tumulto, sus monteros acosan a las fieras vivas. Mas su pasatiempo favorito es la caza de altanería; de garzas, milanos, cuervos y picazas. Mientras unos andan a volatería con lazo y señuelo, Moctezuma tira con el arco y la cerbatana. Sus cerbatanas tienen los broqueles y puntería tan largos como un jeme[37] y de oro; están adornadas con formas de flores y animales.

Dentro y fuera de la ciudad tiene sus palacios y casas de placer, y en cada una su manera de pasatiempo. Ábrense las puertas a calles y plazas, dejando ver patios con fuentes, losados como los tableros de ajedrez; paredes de mármol y jaspe, pórfido, piedra negra; muros veteados de rojo, muros traslucientes; techos de cedro, pino, palma, ciprés, ricamente entallados todos. Las cámaras están pintadas y esteradas; tapizadas otras con telas de algodón, con pelo de conejo y con pluma. En el oratorio hay chapas de oro y plata con incrustaciones de pedrería. Por los babilónicos jardines —donde no se consentía hortaliza ni fruto alguno de provecho— hay miradores y corredores en que Moctezuma y sus mujeres salen a recrearse; bosques de gran circuito con artificios de hojas y flores, conejeras, vivares, riscos y peñoles[38],

---

37 *jeme*, distancia entre la extremidad del dedo pulgar y la del índice, de la mano abierta.
38 *peñoles*, peñas, peñones.

por donde vagan ciervos y corzos; diez estanques de agua dulce o salada, para todo linaje de aves palustres y marinas, alimentadas con el alimento que les es natural: unas con pescados, otras con gusanos y moscas, otras con maíz, y algunas con semillas más finas. Cuidan de ellas 300 hombres, y otros cuidan de las aves enfermas. Unos limpian los estanques, otros pescan, otros les dan a las aves de comer; unos son para espulgarlas, otros para guardar los huevos, otros para echarlas cuando enloquecen, otros las pelan para aprovechar la pluma. A otra parte se hallan las aves de rapiña, desde los cernícalos y alcotanes hasta el águila real, guarecidas bajo toldos y provistas de sus alcándaras. También hay leones enjaulados, tigres, lobos, adives[39], zorras, culebras, gatos, que forman un infierno de ruidos, y a cuyo cuidado se consagran otros 300 hombres. Y para que nada falte en este museo de historia natural, hay aposentos donde viven familias de albinos, de monstruos, de enanos, corcovados y demás contrahechos.

Había casas para granero y almacenes, sobre cuyas puertas se veían escudos que figuraban conejos, y donde se aposentaban los tesoreros, contadores y receptores; casas de armas cuyo escudo era un arco con dos aljabas, donde había dardos, hondas, lanzas y porras, broqueles y rodelas, cascos, grebas[40] y brazaletes, bastos con navajas de pedernal, varas de uno y dos gajos, piedras rollizas hechas a mano, y unos como paveses que, al desenrollarse, cubrían todo el cuerpo del guerrero.

Cuatro veces el Conquistador Anónimo[41] intentó recorrer los palacios de Moctezuma: cuatro veces renunció, fatigado.

---

[39] *adives*, chacales.

[40] *greba*, pieza de armadura (de la pierna.)

[41] *Conquistador Anónimo*. El autor de una crónica anónima de la Conquista.

III

La flor, madre de la sonrisa.

EL NIGROMANTE [42]

Si en todas las manifestaciones de la vida indígena la naturaleza desempeñó función tan importante como la que revelan los relatos del conquistador; si las flores de los jardines eran el adorno de los dioses y de los hombres, al par que motivo sutilizado de las artes plásticas y jeroglíficas, tampoco podían faltar en la poesía.

La era histórica en que llegan los conquistadores a México procedía precisamente de la lluvia de flores que cayó sobre las cabezas de los hombres al finalizar el cuarto sol cosmogónico. La tierra se vengaba de sus escaseces anteriores, y los hombres agitaban las banderas de júbilo. En los dibujos del Códice Vaticano [43], se la representa por una figura triangular adornada con torzales de plantas; la diosa de los amores lícitos, colgada de un festón vegetal, baja hacia la tierra, mientras las semillas revientan en lo alto, dejando caer hojas y flores.

La materia principal para estudiar la representación artística de la planta en América se encuentra en los monumentos de la cultura que floreció por el valle de México inmediatamente antes de la conquista. La escritura jeroglífica ofrece el material más variado y más abundante: *Flor* era uno de los veinte signos de los días; la flor es también signo de lo noble y lo precioso; y, asimismo, representa los perfumes y las bebidas. También surge de la sangre del sacrificio, y corona el signo jeroglífico de la oratoria. Las

---

[42] *El Nigromante*. Seudónimo de Ignacio Ramírez (1818-1879), pensador liberal, satirista y poeta mexicano.

[43] *Códice Vaticano*. Libro de pinturas o representaciones pictográficas de los indígenas mexicanos, conservado en una colección del Vaticano en Roma.

8

guirnaldas, el árbol, el maguey y el maíz alternan en los jeroglíficos de lugares. La flor se pinta de un modo esquemático, reducida a estricta simetría, ya vista por el perfil o ya por la boca de la corola. Igualmente, para la representación del árbol se usa de un esquema definido: ya es un tronco que se abre en tres ramas iguales rematando en haces de hojas, o ya son dos troncos divergentes que se ramifican de un modo simétrico.

En las esculturas de piedra y barro hay flores aisladas —sin hojas— y árboles frutales radiantes, unas veces como atributos de la divinidad, otras como adornos de la persona o decoración exterior del utensilio.

En la cerámica de Cholula [44], el fondo de las ollas ostenta una estrella floral, y por las paredes internas y externas del vaso corren cálices entrelazados. Las tazas de las hilanderas tienen flores negras sobre fondo amarillo, y, en ocasiones, la flor aparece meramente evocada por unas fugitivas líneas.

Busquemos también en la poesía indígena la flor, la naturaleza y el paisaje del valle.

Hay que lamentar como irremediable la pérdida de la poesía indígena mexicana. Podrá la erudición descubrir aislados ejemplares de ella o probar la relativa fidelidad con que algunos otros fueron romanceados por los misioneros españoles; pero nada de eso, por muy importante que sea, compensará nunca la pérdida de la poesía indígena como fenómeno general y social. Lo que de ella sabemos se reduce a angostas conjeturas, y a tal o cual ingenuo relato conservado por religiosos que acaso no entendieron siempre los ritos poéticos que describían; así como se reduce lo que de ella imaginamos a la fabulosa juventud de

---

[44] *Cholula.* Ciudad situada entre México y la ciudad de Puebla, más cerca de ésta.

Netzahualcóyotl[45], el príncipe desposeído que vivió algún tiempo bajo los árboles, nutriéndose con sus frutos y componiendo canciones para solazar su destierro.

De lo que pudo haber sido el reflejo de la naturaleza en aquella poesía quedan, sin embargo, algunos curiosos testimonios; los cuales, a despecho de probables adulteraciones, parecen basarse sobre elementos primitivos legítimos e inconfundibles. Trátase de viejos poemas escritos en lengua náhoa[46], de los que cantaban los indios en sus festividades, y a los que se refiere Cabrera y Quintero en su *Escudo de Armas de México* (1746). Aprendidos de memoria, ellos transmitían de generación en generación las más minuciosas leyendas epónimas, y también las reglas de la costumbre. Quien los tuvo a la mano, los pasó en silencio, tomándolos por composiciones hechas para honrar a los demonios. El texto actual de los únicos que poseemos no podría ser una traslación exacta del primitivo, puesto que la Iglesia hubo de castigarlos[47], aunque toleró, por inevitable, la costumbre gentil de recitarlos en banquetes y bailes. En 1555, el Concilio Provincial ordenaba someterlos a la revisión del ministro evangélico, y tres años después se renovaba a los indios la prohibición de cantarlos sin permiso de sus párrocos y vicarios. De los únicos hasta hoy conocidos —pues de los que Fray Bernardino de Sahagún[48] parece haber publicado sólo la mención se conserva— no se sabe el autor ni la procedencia, ni el tiempo en que fueron escritos; aunque se presume que se trata de genuinas obras mexicanas, y no, como alguien creyó, de mera falsificación de los

---

[45] *Netzahualcóyotl.* Vid. nota 9.
[46] *náhoa.* Vid. nota 20.
[47] *castigarlos:* expurgarlos.
[48] *Fray Bernardino de Sahagún* (1500-90). Fraile misionero español en México, autor de una *Historia general de las cosas de Nueva España.*

padres catequistas. Convienen los arqueólogos en que fueron recopilados por un fraile para ofrecerlos a su superior; y, compuestos antes de la conquista, se les redactó por escrito poco después que la vieja lengua fue reducida al alfabeto español. Tan alterados e indirectos como nos llegan, ofrecen estos cantares un matiz de sensibilidad lujuriosa que no es, en verdad, propio de los misioneros españoles —gente apostólica y sencilla, de más piedad que imaginación. En terreno tan incierto, debemos, sin embargo, prevenirnos contra las sorpresas del tiempo. Ojalá en la inefable semejanza de estos cantares con algún pasaje de Salomón no haya más que una coincidencia. Ya nos tiene muy sobre aviso aquella colección de *Aztecas* en que Pesado[49] parafrasea poemas indígenas, y donde la crítica ha podido descubrir ¡la influencia de Horacio en Netzahualcóyotl!

En los viejos cantares náhoas, las metáforas conservan cierta audacia, cierta aparente incongruencia; acusan una ideación no europea. Brinton[50] —que los tradujo al inglés y publicó en Philadelphia, 1887— cree descubrir cierto sentido alegórico en uno de ellos: el poeta se pregunta dónde hay que buscar la inspiración, y se responde, como Wordsworth, que en el grande escenario de la naturaleza. El mundo mismo la aparece como un sensitivo jardín. Llámase el cantar Ninoyolnonotza: meditación concentrada, melancólica delectación, fantaseo largo y voluptuoso, donde los sabores del sentido se van trasmutando en aspiración ideal:

---

[49] *José Joaquín Pesado* (1801-1861). Poeta mexicano neoclásico y paisajista, estudiado por Reyes en su *Paisaje de la poesía mexicana del siglo XIX.*

[50] *Daniel G. Brinton* (1837-1899). Arqueólogo y etnólogo norteamericano.

NINOYOLNONOTZA

1.—Me reconcentro a meditar profundamente dónde poder recoger algunas bellas y fragantes flores. ¿A quién preguntar? Imaginaos que interrogo al brillante pájaro zumbador, trémula esmeralda; imaginaos que interrogo a la amarilla mariposa: ellos me dirán que saben dónde se producen las bellas y fragantes flores, si quiero recogerlas aquí en los bosques de laurel, donde habita el Tzinitzcán[51], o si quiero tomarlas en la verde selva donde mora el Tlauquechol[52]. Allí se las puede cortar brillantes de rocío; allí llegan a su desarrollo perfecto. Tal vez podré verlas, si es que han aparecido ya; ponerlas en mis haldas, y saludar con ellas a los niños y alegrar a los nobles.

2.—Al pasear, oigo como si verdaderamente las rocas respondieran a los dulces cantos de las flores; responden las aguas lucientes y murmuradoras; la fuente azulada canta, se estrella, y vuelve a cantar; el Cenzontle contesta; el Coyoltótotl suele acompañarle, y muchos pájaros canoros esparcen en derredor sus gorjeos como una música. Ellos bendicen a la tierra, haciendo escuchar sus dulces voces.

3.—Dije, exclamé: ojalá no os cause pena a vosotros, amados míos que os habéis parado a escuchar; ojalá que los brillantes pájaros zumbadores acudan pronto. —¿A quién buscaremos, noble poeta?— Pregunto y digo: ¿en dónde están las bellas y fragantes flores con las cuales pueda alegraros, mis nobles compañeras? Pronto me dirán ellas cantando: —Aquí, oh, cantor, te haremos ver aquello con que verdaderamente alegrarás a los nobles, tus compañeros.

4.—Condujéronme entonces al fértil sitio de un valle, sitio floreciente donde el rocío se difunde con brillante esplendor, donde vi dulces y perfumadas flores cubiertas de rocío, esparcidas en derredor

---

[51] *Tzinitzcán, Tlauquechol, Cenzontle (o sinsonte), Coyoltótotl.* Nombres indígenas de diversas aves o pájaros.

[52] *Tlauquechol.* (El *Tlauquechol* se parece al flamenco.)

117

a manera de arcoiris. Y me dijeron: —Arranca las flores que desees, oh cantor —ojalá te alegres—, y dalas a tus amigos, que puedan regocijarse en la tierra.

5.—Y luego recogí en mis haldas delicadas y deliciosas flores, y dije: —¡Si algunos de nuestro pueblo entrasen aquí! ¡Si muchos de los nuestros estuviesen aquí! Y creí que podía salir a anunciar a nuestros amigos que todos nosotros nos regocijaríamos con las variadas y olorosas flores, y escogeríamos los diversos y suaves cantos con los cuales alegraríamos a nuestros amigos, aquí en la tierra, y a los nobles en su grandeza y dignidad.

6.—Luego yo, el cantor, recogí todas las flores para ponerlas sobre los nobles, para con ellas cubrirlos y colocarlas en sus manos; y me apresuré a levantar mi voz en un canto digno, que glorificase a los nobles ante la faz de Tloque-in-Nahuaque [53], en donde no hay servidumbre.

...El dolor llena mi alma al recordar en dónde yo, el cantor, vi el sitio florido...

De manera que el poeta, en pos del secreto natural, llega hasta el lecho mismo del valle. Estoy en un lecho de rosas, parece decirnos, y envuelvo mi alma en el arcoiris de las flores. Ellas cantan en torno suyo, y, verdaderamente, las rocas responden a los cantos de las corolas. Quisiera ahogarse de placer, pero no hay placer no compartido, y así, sale por el campo llamando a los de su pueblo, a sus amigos nobles y a todos los niños que pasan. Al hacerlo, llora de alegría. (La antigua raza era lacrimosa y solemne.) De manera que la flor es causa de lágrimas y de regocijos.

La parte final decae sensiblemente, y es quizá aquella en que el misionero español puso más la mano.

---

[53] *Tloque-in-Nahuaque*. Significa «la Causa de Todo», según la traducción inglesa de Brinton.

Podemos imaginar que, en una rudimental acción dramática, el cantor distribuía flores entre los comensales, a medida que la letra lo iba dictando. Sería una pequeña escenificación simbólica como esas de que aún dan ejemplo las celebraciones de la Iglesia. Anúncianlas ya los ritos dionisíacos, los ritos de la naturaleza y del vegetal, y perduran todavía en el sacrificio de la misa.

La peregrinación del poeta en busca de flores, y aquel interrogar al pájaro y a la mariposa, evocan en el lector la figura de Sulamita [54] en pos del amado. La imagen de las flores es frecuente como una obsesión. Hay otro cantar que nos dice: «Tomamos, desenredamos las joyas. Las flores azules son tejidas sobre las amarillas, que podemos darlas a los niños. Que mi alma se envuelva en varias flores, que se embriague con ellas, porque pronto debo ausentarme.» La flor aparece al poeta como representación de los bienes terrestres. Pero todos ellos nada valen ante las glorias de la divinidad: «Aun cuando sean joyas y preciosos ungüentos de discursos, ninguno puede hablar aquí dignamente del dispensador de la vida». —En otro poema relativo al ciclo de Quetzalcóatl [55] (el ciclo más importante de aquella confusa mitología, símbolo de civilizador y profeta, a la vez que mito solar más o menos vagamente explicado), en toques descriptivos de admirable concentración surge a nuestros ojos «la casa de los rayos de luz, la casa de culebras emplumadas, la casa de turquesas». De aquella casa, que en las palabras del poeta brilla como un abigarrado mosaico, han salido los nobles, quienes «se fueron llorando por el agua» —frase en que palpita la evocación de la ciudad de los lagos. El poema es como una elegía a la desaparición del

---

[54] *Sulamita.* Nombre de la esposa en el *Cantar de los cantares.*
[55] *Quetzalcóatl.* La serpiente emplumada: dios tolteca, dueño del aire y de los fenómenos atmosféricos.

héroe. Se trata de un rito lacrimoso, como el de Perséfone, Adonis, Tamuz[56] o alguno otro popularizado en Europa. Sólo que, a diferencia de lo que sucede en las costas del Mediterráneo, aquí el héroe tarda en resucitar, tal vez nunca resucitará. De otro modo, hubiera triunfado sobre el dios sanguinario y zurdo de los sacrificios humanos, e impidiendo la dominación del bárbaro azteca, habría transformado la historia mexicana. El quetzal[57], el pájaro iris que anuncia el retorno de este nuevo Arturo, ha emigrado, ahora, hacia las regiones ístmicas del Continente, intimando acaso nuevos destinos. «Lloré con la humillación de las montañas; me entristecí con la exaltación de las arenas, que mi señor se había ido». El héroe se muestra como un guerrero: «En nuestras batallas, estaba mi señor adornado con plumas». Y, a pocas líneas, estas palabras de desconcertante «sintetismo»: «Después que se hubo embriagado, el caudillo lloró; nosotros nos glorificamos de estar en su habitación». («Metióme el rey en su cámara: gozarnos hemos y alegrarnos hemos en ti». *Cant. de Cant.)* El poeta tiene muy airosas sugestiones: «Yo vengo de Nonohualco[58] —dice— como si trajera pájaros al lugar de los nobles». Y también lo acosa la obsesión de la flor: «Yo soy miserable, miserable como la última flor.»

IV

But glorious it was to see, how the open region was filled with horses and chariots...

BUNYAN, *The Pilgrim's Progress*

Cualquiera que sea la doctrina histórica que se profese (y no soy de los que sueñan en perpetuaciones

---

[56] *Tamuz.* Nombre sirio-fenicio de Adonis.
[57] *quetzal*, pájaro de México y Guatemala.
[58] *Nonohualco.* Sitio ahora dentro de la ciudad de México.

absurdas de la tradición indígena, y ni siquiera fío demasiado en perpetuaciones de la española), nos une con la raza de ayer, sin hablar de sangres, la comunidad del esfuerzo por domeñar nuestra naturaleza brava y fragosa; esfuerzo que es la base bruta de la historia. Nos une también la comunidad, mucho más profunda, de la emoción cotidiana ante el mismo objeto natural. El choque de la sensibilidad con el mismo mundo labra, engendra un alma común. Pero cuando no se aceptara lo uno ni lo otro —ni la obra de la acción común, ni la obra de la contemplación común—, convéngase en que la emoción histórica es parte de la vida actual, y, sin su fulgor, nuestros valles y nuestras montañas serían como un teatro sin luz. El poeta ve, al reverberar de la luna en la nieve de los volcanes, recortarse sobre el cielo el espectro de Doña Marina [59], acosada por la sombra del Flechador de Estrellas [60]; o sueña con el hacha de cobre [61] en cuyo filo descansa el cielo; o piensa que escucha, en el descampado, el llanto funesto de los mellizos [62], que la diosa vestida de blanco lleva a las espaldas: no le neguemos la evocación, no desperdiciemos la leyenda. Si esa tradición nos fuere ajena, está como quiera en nuestras manos, y sólo nosotros disponemos de ella. No renunciaremos —oh Keats [63]— a ningún objeto de belleza, engendrador de eternos goces.

Madrid, 1915.

---

[59] *Doña Marina*. Nombre español de la amante india de Cortés.

[60] *El Flechador de Estrellas*. El guerrero y rey azteca Motecuhzoma I o Ilhuicamina («Flechador del Cielo»), constructor del templo de Huitzilpóchtli (dios de la guerra).

[61] *el hacha de cobre*..., referencia mitológica azteca probablemente al horizonte.

[62] *los mellizos*..., referencia a una leyenda azteca de la creación del mundo: Cihuacoatl («la diosa vestida de blanco»), suprema deidad de la tierra, la primera mujer en tener un hijo, dio a luz dos niños, varón y hembra, de donde surgió la raza humana.

[63] *John Keats*: referencia a su poema *Endymion*, que empieza «A thing of beauty is a joy forever».

VOCES DE LA CALLE

Como la pipa de Mallarmé engendra un viaje, así resucitan las ciudades en un ruido, en una tonada callejera.

¿No es Kipling quien habla de los olores del viaje? El tufo del camello en Arabia, el vaho de huevos podridos en Hitt, junto al Éufrates, donde Noé rajó las tablas para el Arca; de pescado seco en Burna —todos reducibles a los dos olores elementales que poseen lo que el inglés llama *universal appeal:* el olor de la combustión y el de la grasa que se derrite; el de aquello en que el hombre cuece sus alimentos, y el de aquello en que los guisa. Habláis de eso —observa Kipling— y la compañía comienza a roncar, cual los gatos con la valeriana; cada quien recuerda sus experiencias y, como se dice en los libros, «la conversación se hace general.»

El oído posee la misma virtud de evocación. Los gritos de la calle contienen en potencia una ciudad, como el S. P. Q. R. [1], o como el pellejo de la res de Cartago [2].

---

[1] *S. P. Q. R.* Abreviatura latina de *Senatus Populusque Romanus,* el senado y el pueblo de Roma, y así símbolo de lo que fue Roma.

[2] *...el pellejo (o piel)... de Cartago.* Alusión al mito de la fundación de Cartago por la reina Dido, hija del rey tirio Belo y hermana de Pigmalión, que sucedió a su padre. Dido estaba casada con su tío el rico Acerbas, a quien Pigmalión hizo asesinar. Dido se escapó de Tiro, pasando al Africa. Allí obtuvo del rey Jarbas «el terreno que podía señalarse con una piel de buey», que ella sutilmente cortó en tiras muy finas, marcando un área enorme, en donde se erigió la ciudad de Cartago.

—*Haricots verts!*[3]

Miro una humanidad opulenta, roja, rubia, los lomos doblados, empujando el carro de verdura por aquellas avenidas de París. Oigo las coplas de los cantadores de mi calle: el del lunes, picante, oportuno, la voz gruesa; el del jueves, escuálido, inservible, con un cuchillito de voz que taladra el tímpano:

—*On dit, on dit...!*

El del sábado, un muchacho de insolente cara, a quien lleva de la mano su madre, y que echa unos alaridos agrios como si escupiera astillas de metal. El órgano del jorobadito que hace llorar, gimiendo en la niebla sus dulzuras. El tirolizante[4] que vibra sus maravillosos ecos en medio de la indiferencia de París, como aquel tamborilero de Provenza que dice Daudet[5] («Tu-tu, pan-pan»); y el declamador patriótico de los últimos días, anciano severo, cano, barbado, verdadero Miembro del Instituto[6], vestido de negro y con dignidad:

> Sonnez clairons, sonnez cymbales
> On entendra siffler les balles![7]

En tanto que pasea la calle —la izquierda en el corazón y la diestra en alto—, le abollan la chistera unas monedas de cobre arrojadas desde los balcones por invisibles manos.

En otro tiempo, por las calles de mi país, seguí

---

[3] *Haricots verts!:* ¡Habichuelas verdes, judías! Grito de vendedor.

[4] *tirolizante*, que canta aires populares del Tirol.

[5] *Alphonse Daudet* (1840-1897). Novelista francés que se inspiró en los paisajes y tipos de Provenza para sus célebres escritos *Cartas desde mi molino* y *Tartarín de Tarascón*.

[6] *El Instituto*. El Instituto de Francia, colección de las academias francesas de intelectuales.

[7] *Sonnez clairons... Suenen clarines, suenen címbalos / ¡Se oirán silbar las balas!*

atentamente las modificaciones de cierta tonada
popular, al pasar de una esquina a otra. En mi casita
del Fresno era rotunda, ondulante; en mi casita del
Cedro, caricaturesca y angulosa; más allá, se opaca,
se funde con otra, muere al fin.

Monterrey, toda mi ciudad de sol y urracas
negras, de espléndidas y tintas montañas y de casas
bajas e iguales, toda vive en aquellos gritos de sueño
y mal humor, vaporizados en el fuego de las doce:

—¡Chaaaramusqueroooo!... [8]

Y aquel encantador disparate:

—¡Nogada de nueeeez!...

San Luis Potosí [9] es un toque de cuerno: cuando
visité esta ciudad, los conductores de tranvías usaban
unos cuernecillos del tamaño del puño. Oigo el
cuerno y, en una curva de rieles, veo un tranvía que
aparece y desaparece... San Luis, ciudad fría: la
niebla sobre la alameda, confundida con las humaredas
de la estación, en que los pájaros se ahogan.

El último día de Veracruz me persiguió por toda
la ciudad el grito de un frutero. Allí resuena la voz
como dentro de una gran campana; la tierra es de
cobre bajo el sol... Tráfago del puerto.

Madrid está llena de canciones: por cada una de
mis ventanas miro otras quince o veinte, y en todas
hay una mujer en faena, y de todas sale una canción.
La zarzuela de moda impone coplas, estropeando
a un tiempo la espontaneidad y la tradición. Todo
este año me ha rascado las orejas *El amigo Melquíades* [10].

Cartones de Madrid (1917).

---

[8] *charamusquero*. Vendedor de charamuscas (confite mexicano
en forma de tirabuzón.)

[9] *San Luis Potosí*. Ciudad mexicana del interior, capital del
estado del mismo nombre.

[10] *El amigo Melquíades*. Zarzuela con letra de Carlos Arniches
(1866-1943) y música de Joaquín Valverde (1875-1918) y José
Serrano (1873-1942).

LAS CIGÜEÑAS

Las cigüeñas telegráficas, luciendo y bañándose en el sol de la tarde, hacen signos de una torre a otra, de una a otra ciudad. Les contesta desde el lejano Escorial la cigüeña de Théophile Gautier[1]; les contestan las cigüeñas de Ávila, las de Segovia y Santiago, las de Cáceres y Plasencia —todas las cigüeñas que practiqué en España. Ellas forman, por sobre la vida de los pueblos, una diadema de aleteos que suenan más hondo que las campanas. Flechadas en las agujas de las torres o extáticas como figuras de piedra, abren de súbito el ángulo de las alas o calcan, sobre el horizonte de la tarde, su cruz de ceniza. Góngora[2] diría que escriben letras japonesas. Castañetean con el pico, repiquetean los crótalos, sueltan su estridor de carracas. De tanto vivir a la intemperie se han quedado afónicas. Se quieren caer. De tal modo las arrastran las alas, de tal modo les vienen grandes, que aterrizan siempre, bamboleándose, más allá de donde calculan, y todavía dan unos saltitos para matar la inercia del vuelo. A veces se juntan en parejas; se «empuñan» una a otra el pico con el pico; la una dobla el cuello hacia arriba como la interrogación cuando empieza, la otra dobla el cuello hacia abajo como la interrogación cuando acaba; y así,

---

[1] *Theophile Gautier* (1811-1872). Poeta y prosista artístico francés que describió sus impresiones de un viaje a España.

[2] *Luis de Góngora*. Poeta del Siglo de Oro español. Vid. el poema de Reyes, *Teoría prosaica*.

en vasos comunicantes y en suerte de estrangulación, oímos caer como un chorro de piedras, volcado de ánfora a ánfora: —El himno de amor de las cigüeñas rueda como un motor por el aire.

Horas de Burgos (1932).

LA IMPROVISACIÓN

I

Estamos en un restaurante de Londres —el Savoy— y hay doce a la mesa. El anfitrión es un hombre con un algo de Dumas, padre, y otro poco de Maurice Donnay[1]: cabeza enorme; a la izquierda, un ala de cabello negro; a la derecha, un ala de cabello blanco; monóculo y bigotillo negro, cortado; labios voluminosos, que se han comido la nariz.

(Consúltese: Michel Georges-Michel, *Ballets Russes, Histoire Anecdotique* —un libro deshecho, agobiado bajo un título muy ambicioso, pero lleno de sugestivos toques.)

En torno a este hombre, dondequiera que va, se produce siempre una tempestad artística. Es Diaghilew[2]. Y puede asegurarse que la empresa de danza que dirige, con ser ya tanto de por sí, es mero pretexto para atraer todas las vivientes voluntades estéticas que andan dispersas por el mundo.

Siempre tiene doce a la mesa y, mientras come, seguramente sin molestar un punto a sus huéspedes, sin que éstos se percaten siquiera de que ha hablado de otra cosa que de música o de pintura, arregla

---

[1] *Maurice Donnay* (1859-1945). Dramaturgo francés, que cultivó el teatro ligero de *boulevard*.

[2] *Serge de Diaghilev* (1872-1929). Empresario ruso creador de los *Ballets Russes*.

tratos con el agente italiano, Barrocchi, llegado en el último avión de Roma; y, volviendo apenas la silla, despacha con el encargado de trasladar las decoraciones— Kamichof, un tímido gigante.

Después, se levanta, sale tranquilamente, como si no estuviera haciendo nada. Y no lo volvemos a ver hasta el ensayo general, en un escenario revuelto, junto a la divina Karsavina, que protege sus zapatillas de reina con unos calcetines de lana.

Durante el ensayo, sin respeto para la música de Stravinsky[3], dos obreros clavan ceniceros en el respaldo de las butacas. En un rincón, sin hacer caso a nadie, Bakst, el pintor de *Jerezarda*, construye, a golpe de tijera y pincel, unos juguetes mágicos, de cartón, que han de revolucionar el arte decorativo, lo mismo entre los clásicos de la Rue de la Paix, que en el Faubourg Saint-Honoré, donde acampan los avanzados.

Y así, todo sucede entre estorbos, entre paréntesis, al lado de las actividades accesorias, mientras se recibe a las visitas, en el comedor y hasta en el baño.

Y con todo, la maravilla se realiza, y el ballet nace —puro— como la flecha de su arco.

II

Amigo José Vasconcelos[4]: educar es preparar improvisadores. Toda educación tiende a incorporar en hábito subconsciente las lentas adquisiciones de una disciplina hereditaria. Se vive improvisadamente.

No quiere esto decir que debamos emprender las cosas sin conocerlas. Todo lo contrario. El oficial

---

[3] *Igor Stravinsky* (nacido 1882). Compositor de origen ruso, radicado en la Europa occidental, luego en Estados Unidos.

[4] *José Vasconcelos* (1881-1959). Escritor mexicano de la misma generación de Reyes y Secretario de Educación Pública de 1921 a 1924.

de Estado Mayor tiene que levantar diseños y planos topográficos sobre la cabeza de la silla, al trote del caballo. Para eso, es fuerza que se haya avezado, largos años, entre los estuches mecánicos, al trazado y al cálculo. De aquí un gran respeto a las técnicas, un consejo de practicarlas incesantemente en todos los reposos de la acción —de la improvisación—. Y de aquí, también, un gran respeto a la memoria, la facultad retentiva que transforma en reacción instantánea las conquistas de varios siglos de reflexión, y el consejo de propiciar constantemente a esta madre de Musas.

Y, un día, el milagro se produce: al dejar caer el lápiz, brotan los planos exactos; al dejar caer la pluma, corren los versos bien medidos: *quidquid tentabam scribere versus erat*[5].

Todo arte consiste en la conquista de un objeto absoluto, lograda en medio de las distracciones que por todas partes nos asaltan, y contando sólo con los útiles del azar. Sé quien estudiaba el teatro griego entre los desmayos del amor, y casi leía los libros en los brazos de una mujer. Ése improvisaba atención.

Pero ¿qué no es improvisación? Oh, Pedro Henríquez[6], tú me increpabas un día:

—No corriges —me decías—; no corriges, sino que improvisas otra vez.

La documentación es necesario llevarla adentro, toda vitalizada: hecha sangre de nuestras venas.

III

Se levanta una cortina; es Stravinsky, otra vez: llega de Suiza, por unas horas. Trae consigo el

---

[5] *quidquid tentabam...*, 'todo lo que yo intentaba escribir era verso'. Se trata de un conocido verso de Ovidio.

[6] *Pedro Henríquez Ureña* (1884-1946). Escritor y filólogo dominicano asociado con Reyes y Vasconcelos en México.

9

manuscrito de *Nupcias*, portento de música en acordes, con tibios arrullos de marimba, y un sobresalto de resonancias continuas que amedrentan y dejan ocioso el hilillo de la melodía.

Se levanta otra cortina: es Diaghilew, que vuelve de Londres, por unas horas. Trae en la mente, en el ánimo, en el ritmo de la respiración, esas danzas cruzadas que concibió el maestro coreógrafo.

Marchas gimnásticas de mancebos, bajo los ojos extáticos del novio; marchas gimnásticas de doncellas, entre las trenzas caudales de la novia; pétrea inmovilidad de los padres, secos árboles con barbas de heno y cuencas profundas de ojos, los brazos plegados, las arrugas hechas a cuchillo. Y, al fin, ese paso solemne y grave de los novios hacia el lecho nupcial, como si entraran en una tumba. Es la borrachera triste de Eros, la más intensa. Hermosas bestias cazadas por la naturaleza, los esposos se aproximan temblando... Salta el corazón, entre pulsaciones de marimba. Y, de pronto, se oscurece la luz.

Stravinsky y Diaghilew están en mangas de camisa, al piano; en tanto, el coreógrafo Massine anota y anota, vibra junto al velador, trepida por dentro, baila con el alma. Circulan el «cherry» y el té. Los gajos de limón aplacan la sed.

Silencio: estos hombres improvisan. Movilizan, por unas horas, todas las potencias de su ser. Todo lo traen consigo, porque no se viaja con bibliotecas. La memoria enciende su frente. Y, al dar las ocho, todo debe estar concluido. Se besan el bigote, a la rusa, y uno vuelve a Londres y otro a Suiza.

Calendario, 1924.

GUYNEMER [1]

«¡Hilas, Hilas!»: gemido del viento en Tróada.

Vuelve a nuestra memoria el nombre radiante de Guynemer, as entre los ases.

Héroe representativo de la Gran Guerra, aviador casi niño, combatiente solitario, hijo predilecto de la victoria elegante, maestro de geometría celeste, primogénito de la raza de hombres del aire, diminuto corazón perdido de pronto en la luminosidad del éter sonoro. Y un día, hastiado del cielo material, del cielo metafórico que no le dejaba romper para siempre las ligas con la tierra, se arroja a morir entre las nubes y, en vuelo de transfiguración, desaparece.

El nombre mismo de Guynemer suena como a grito de guerra. Entre los versos de la Canción de Rolando, se le oiría como en su sitio: *Montjoie! Guynemer!*

Era celta. Raza misteriosa la celta; gran vencida de la historia se la ha llamado. Raza de alma extremada y aventurera, capaz de melancolías heroicas y de gritos líricos inmortales. Raza de ardiente fe; la única que presta dinero reembolsable para en la otra vida, sobre el juramento de la oración.

Nació Guynemer la Nochebuena de 1894. El día de la movilización Guynemer tenía diecinueve años, y un aspecto frágil, femenino. Dos veces lo rechazaron: no parecía duro para la guerra. Pero es que él no

[1] *Georges Guynemer* (1894-1917). Aviador francés perdido sobre Bélgica en la Primera Guerra Mundial.

131

iba a hacer la guerra grosera, sino una guerra casi etérea, voladora; guerra de saeta y de insecto, de libélula, de saltarela [2].

Al fin lo aceptaron como aprendiz mecánico. En marzo de 1915, comenzó a volar. El 13 de junio partió hacia la línea enemiga. Dos días después, los obuses lo saludaban ya, en el aire, como a veterano conocido. Sus notas nos dicen que no experimentó ninguna emoción, fuera de la curiosidad satisfecha. ¿Era, pues, un hombre de hierro?

No: era de pluma, era un pájaro. Hijo de una familia unida, vivía entre mujeres y como en su blando regazo: la abuela, la madre y dos hermanas se ocupaban de sus materialidades, lo acariciaban, le suavizaban la senda —buenas hadas—, de modo que el niño héroe tenía esa dulzura, esa delicadeza que tanto desconcertaba al principio de su carrera, a sus camaradas. Le llamaban *Mademoiselle*.

Cuando comenzó a volar en la heroica escuadra de las Cigüeñas (22 muertos, 23 desaparecidos), aseguró que no se dejaría coger vivo por los contrarios. Partía en persecución del enemigo, ebrio de trepidación y retumbos, mirando estallar aquí y allá las estrellas momentáneas de la granada; se lanzaba como gavilán sobre la presa, que casi chocaba contra ella; el humo lo envolvía un instante, y las baterías lo cercaban en collares de truenos; el latido de su motor se injertaba en la palpitación de su sangre. Y súbitamente, el contrario se desgajaba entre llamas, en fantástica caída vertical de aspas y ruedas, por el camino de Luzbel.

Y Guynemer volvía, casi saltando de entusiasmo en el aire, como un chiquillo regocijado; volvía de jugar a la guerra. Y el triunfo sin crueldad, el triunfo de alarde, el triunfo sin sangre, el triunfo de la velocidad, de la puntería, del ojo certero, de la

_____
[2] *saltarela*, saltamontes, saltarín, bailarín.

visión justa como la del ave a todo vuelo, el triunfo del reflejo exacto, del pestañeo oportuno, el triunfo del movimiento único, le entraba hasta el alma en bocanadas de gozo, con un estremecimiento que se comunicaba, abajo, a la hormigueante trinchera.

Al llegar, hacía cantar su motor. Y cuando cruzaba sobre las trincheras, acostumbraba piruetear un rato, saltar de onda en onda, rizar el rizo; era un mensaje que mandaba a la infantería: «Soy yo, Guynemer. Podéis estar tranquilos. Por ahora os he barrido el cielo.»

Sus cartas a la familia, sus lacónicos apuntes, rebosan una vivacidad, un ánimo chistoso y ameno de *gamin* [3] de París. «¡Divertidísimo! —escribe...— Hoy he hecho caer a tres en nuestro campo: un récord. ¡Tres en una tarde! Ha habido que juntar los pedazos. Los de ellos y los míos. Mi aparato, hecho una criba. A mí me están componiendo en el hospital: dos o tres huesos, nada. Sé que ayer el pueblo me ha ovacionado en París. ¡Señor, lo que es el don de la ubicuidad!»

El 11 de junio de 1917, a los veintidós años, lo hicieron oficial de la Legión de Honor. En cuanto recibe la insignia, corre, como el chico del premio, a echarse en brazos de sus padres, que de lejos contemplan el acto.

Al verse lleno de honores, aunque enfermo, convaleciente, se empeña en volver cuanto antes a sus «deportes», como él dice. «No piensen —explica a su madre, que trata de retenerlo—, no piensen que ahora, porque me han premiado, los abandono. Los pobres se aburren en las trincheras: yo soy su única distracción, cuando salgo de cacería.»

Y en efecto, vuelve al campamento de las Cigüeñas. Pero esta vez va inquieto y nervioso, poseído del dios. Expliquémoslo poéticamente: lo que así excita su

---

[3] *gamin*, niño travieso que corre por las calles.

pulso, lo que tanta palidez comunica a su semblante de niño, es su voluntad de transfiguración, su anhelo de saltar más allá. Su mano tiembla, y parece que el héroe empieza a volar con cierto desmaño: es que ha descubierto su camino y, como todo artista en la era de la superación, olvida un poco la técnica y hace como que se equivoca a veces. Respetemos el instante sagrado.

Es el 11 de septiembre de 1917. Guynemer va a combatir una escuadrilla enemiga, ayudado por otro avión. El otro procurará desviar la patrulla, y Guynemer irá entonces cazando, uno a uno, a los contrincantes. Es la estrategia clásica de los Horacios contra los Curiacios [4]. Así se hace.

Ya el grueso de la escuadrilla contraria acude, engolosinado, tras el avión del teniente Bozon-Verduraz, que fue el testigo del milagro. Ya el capitán Guynemer —¡veintidós años como veintidós águilas al viento!— se enfrenta con el único avión enemigo que se le atreve.

Estamos en el claro cielo de Bélgica, sobre Poelcapelle. ¿No oís una campana muy honda que se confunde, en el espacio, con el estridor de los aviones? Bozon-Verduraz evoluciona y, cuando vuelve al sitio primero, Guynemer ha desaparecido. En vano lo busca y lo busca en las asfixias del aire raro. De Guynemer no queda rastro en el aire ni vestigio en la tierra. ¡Estalló el espíritu puro sin dejar humo ni cenizas! Los soldados alemanes tampoco han podido encontrarlo. Uno de sus aviadores asegura haberle visto muerto, la cabeza doblada, y las manos, mecánicamente, gobernando todavía el motor, hacia arriba, hacia arriba.

---

[4] *Horacios, Curiacios.* Los Horacios (tres hermanos romanos) lucharon por Roma contra los tres Curiacios, de la villa de Alba, para decidir qué ciudad habría de tener la supremacía. El apasionante combate fue descrito magistralmente por Tito Livio.

¡Oh ejemplo de superación! «Las fuerzas humanas tienen un límite», le había dicho su santa madre. «Sí —contestó él—. Un límite que hay que superar. Mientras no se ha dado uno entero, no ha dado nada.»

Era el niño Guynemer como un amuleto de la infantería; meteoro trocado en constelación, vino a ser un signo estelar. El viento de Bélgica sabe articular una voz (¡Guynemer, Guynemer!) cuando va sonando por las torres. ¿Qué ha sido de Guynemer? ¿Se ha desposado con las sirenas del aire, hecho aire él mismo? ¿Desapareció hacia el sol, por la sutil tangente de luz, en el último relumbre de su nave volátil? ¿Fue a aterrizar en una estrella, castigando los ijares de su hipogrifo? ¡Oh capitán, oh héroe! De los labios de un pueblo tu nombre sube como un resuello de triunfo. Palpita tu corazón, claro astro, en el fondo de las noches de Francia.

Calendario, 1924.

LOS OBJETOS MOSCAS

¿Espantáis la mosca? Ella vuelve. Antes, hace un giro en el aire, dibuja letras, alardea con todas las suertes del aeroplano; pero vuelve. En Roncesvalles[1], recuerdo haber encontrado la especie más tenaz de la mosca, sin ser tábano todavía. La mosca de Roncesvalles, espantada, salta sencillamente sobre el mismo sitio, sube y baja como un mecanismo de resorte, sin entretenerse en vuelos volubles, sin el disimulo de la mosca civilizada. Es aquélla una mosca alargada y gris, que muerde hasta la sangre en el cuero de las reses y enloquece a los nerviosos caballos.

También hay objetos moscas, que se nos pegan sin remedio. Conocí a un sujeto que se enfurecía con la servidumbre, porque no encontraba medio de hacer desaparecer los cuellos que se le iban quedando viejos. Era inútil rasgarlos un poco para indicar que estaban excluidos, «reformados». Los cuellos, inválidos y todo, volvían otra vez de la lavandería, almidonados y brillantes. Entonces dio en tirarlos a lo alto de los armarios. Allá no había criado que subiera por ellos.

El célebre Babbitt[2] —que, comparado con Bouvard y Pécuchet[3], da la medida de dos vulgaridades na-

---

[1] *Roncesvalles.* Valle de los Pirineos españoles, escenario del episodio culminante de la *Canción de Rolando.* (Vid. *Guynemer.*)

[2] *Babbitt.* Personaje del novelista norteamericano Sinclair Lewis, que tipifica el burgués ordinario en los Estados Unidos.

[3] *Bouvard y Pécuchet.* Personajes del novelista francés Flaubert que tipifican la burguesía vulgar.

cionales, con saldo en ventaja de quien ya imagináis— se preocupaba todos los días por el insoluble
problema de las navajitas usadas. Al descubrir el
paraíso de las barbas, Gillette no se cuidó de decirnos
dónde cae el infierno de las hojitas de acero. Babbitt,
después de afeitarse, las echaba arriba del botiquín
del baño, con esperanza de sacarlas de ahí algún
día. La navajita usada, aunque se la asiente de nuevo,
aunque se la monte en sistemas especiales para tajar
lápices o cortar cigarros, tiene que morir algún día.
Y no hay cementerio para sus restos. Y es muy
malo que estos restos circulen por ahí, entre las
cosas del menaje, como perpetuas amenazas y heridas
en potencia.

Lo cual hace pensar en las palabras de Philip
Guedalla *(The Missing Muse)*:

> ¡Dejaremos de nosotros tan pocas cosas indes
> tructibles!... Los arqueólogos de mañana podrán
> reconstruir nuestras vidas, partiendo de inmensos
> yacimientos de agujas de gramófono y de hojitas
> de navaja de seguridad.

> C'est merveille comme la coustume, en ces choses
> indifférentes, plante aisément et soudain le pied de
> son authorité (I, XLIII)[4].

Tren de ondas, 1932.

---

[4] *C'est merveille...* Cita de los *Ensayos* del ensayista francés
Montaigne (1533-92): *Es maravilloso cómo la costumbre, en estas
cosas indiferentes, fácil y repentinamente afirma su autoridad.*

ADUANA LINGÜÍSTICA

La desaprensión, la incuria, las pocas ganas de informarse a fondo de las cosas, el figurarse que la Creación comienza con nuestra pobre vida personal, y hasta la fraternal malicia con que consideramos la casa del vecino: todos esos vicios de la mezquindad y la pequeñez. ¡Pensar que andan por ahí millares de hispanoparlantes asegurando que el portugués, lengua cien veces ilustre, es un castellano estropeado! Y cuando lo han dicho se quedan tan contentos como si acabaran de inventar esa burla ya tan sobada, el más común de los lugares. Justo es recordar que este disparate tiene su equivalente del otro lado, pues tampoco entre los de habla portuguesa faltan algunos audaces para repetir por ahí que el portugués está más cerca del latín y que, en consecuencia, es una lengua de mayor dignidad. Doble disparate: porque la distancia del latín es aquí cosa inconmensurable, y porque tal distancia tampoco establecería criterio de excelencia. En otros siglos se pensaba que las lenguas románicas, llamadas vulgares, eran una corrupción del latín en el sentido moral de la palabra. No sentimentalicemos la evolución lingüística. Desafío al latín clásico a expresar, con sus propios recursos y entregado al enredijo de sus declinaciones —etapa anterior a la especialidad sintáctica que representan las partículas regimentales—, lo que yo me soy capaz de expresar en mi castellano vulgar del siglo xx.

Naturalmente, las diferencias nos chocan más

entre las formas semejantes que entre las desemejantes: y las diferencias en lo que más se nos parece son las que más nos impresionan. El choque puede llegar hasta el efecto grotesco. Tal acontece del castellano al portugués y viceversa. Algo parecido sucede con la canturía, tonillo o sonsonete de cada región. El argentino dice que los mexicanos tienen un «cantito al hablar». Lo mismo dirá el mexicano de los argentinos. Ambos con la misma razón, en función inversa. No hay habla melódicamente neutra. Todos cantamos y sólo percibimos la canción ajena. La propia se nos borra como un perfume habitual. Oímos la tonada en la voz del vecino, y no la sinfonía en la propia. Pues de modo semejante hallamos chistosos o antipáticos, según el temperamento, esos cambios de acento entre el castellano y el portugués: «imbécil-imbecil», «policia-policía»; o esos traslados de sentidos próximos que parecen hechos de encargo para desconcertarnos: «jinete» («xinete») por «cabalgadura», «barata» por «cucaracha» o «corredera», «basura» («vassoura») por «escoba», «escoba» («escova») por «cepillo»; y otros más chuscos que pudieron amargar la existencia en el Brasil a don Belisario Porras y Porras, prohombre y antiguo presidente de Panamá, cuyo apellido, sencillamente —y peor con la agravante de la reincidencia— no puede pronunciarse entre lusos.

Porque éste es el mayor escollo: las palabras, usuales en una de las dos lenguas, que en la otra resultan vitandas. Las Direcciones del Turismo debieran proporcionar al viajero hispano que desembarca en puerto de habla portuguesa, y viceversa, una lista de aquellas palabras que, siendo materialmente iguales, mudan de sentido al pasar de una lengua a otra, y marcar con una crucecita roja las que adquieren significado inconfesable, como el nombre de aquella fruta que nosotros llamamos «papaya» y los brasileños «mamão». Y aún para los solos países hispanos debiera hacerse otro tanto.. ¿Qué pueden entender el sombrerero mexicano o español si el viajero argentino le pide un «ranchito» (sombrero de paja)? ¿Y el pánico en un salón argentino cuando llamamos al nácar por su castizo nombre de «concha»? ¿Pues no le exigían a María Guerrero [1] en Buenos Aires que trocara cierto malhadado infinitivo de la segunda conjugación en una comedia del Siglo de Oro? ¿Y el adjetivo que la señora argentina aplica con toda naturalidad a la falda arrugada, ese abominable término que empieza con «ch» y que no oigan mis castos oídos mexicanos? El mexicano, por su parte, no puede nombrar en la Argentina un paquete de cigarrillos con el diminutivo habitual entre nosotros, ni menos mencionar nuestro clásico dulce de Celaya [2]. Cuando yo llegué por primera vez a Buenos Aires en 1927, el Presidente Alvear cayó enfermo y tuve que esperar unos días para presentar mis Cartas Credenciales. No habituado a los usos de aquella región, estuve a punto de reclamar a un gran diario porteño, el cual anunció que mi recepción había sido «postergada», en vez de «aplazada» o «pospuesta».

El hispano cree convencerse a primera vista, o a primer oído, de que ciertos vocablos portugueses no son más que vocablos castellanos mal usados adrede: «grade» (grada) por «reja» o «cancela», «escaler» por «bote» o «lancha», «vidrio» por «frasco», el americanismo «xingar» (ya lo solté al fin) por «denostar» o «injuriar»; y aun el galicismo «paletó», que entre nosotros es un abrigo y entre los lusos un saco, chaqueta, americana, «veston» o como se llame. Cuando las ceremonias oficiales, el Cuerpo Diplomático de nuestras repúblicas acreditado en

---

[1] *María Guerrero* (1868-1928). Distinguida actriz española.
[2] *Celaya*. Villa del Estado de Guanajuato, México. El dulce que allí se hace se llama «cajeta de Celaya».

el Brasil se agita en consultas telefónicas para averiguar si el «fraque» significa «frac» (en portugués, «casaca») o «chaqué». Y a su vez, los lusos pueden acusarnos a nosotros de trocar adrede los significados. Hagamos de cuenta que el demiurgo de las lenguas ibéricas contaba con un material escaso y, para crear un par de lenguas, se limitó a cambiar los sentidos.

Son muchos los peligros de la cercanía. Poseer a la vez, y poseer a la perfección, cuatro lenguas afines y que se perturban entre sí, y aún atajan el aprendizaje por lo mismo que se entre-adivinan, como el castellano, el portugués, el italiano y el catalán, yo lo refuto por el mayor acrobatismo. Esto es, al pie de la metáfora, hazaña tan sutil como partir un cabello en cuatro. Junto a esto, me río del árabe que habla alemán o del malgacho que traduce a Góngora, como mi llorado amigo Rabearivelo, poeta hova [3].

Unamuno, interpretando una impresión inmediata, solía decir que el portugués es un castellano deshuesado: lo que va de «oíllo» a «oírlo». Pero el efecto recíproco debe de ser igualmente cómico. Recuerdo que Álvaro Moreyra hizo reír a un grupo de amigos brasileños cuando, brindando por el inolvidable Ronald de Carvalho [4], le llamó «autor do livro *Toda la América*» en español en vez de decir, en portugués, *Toda a América* (con aquel leve declive hacia «tuda»).

¿Y qué si entramos en los modismos y peculiaridades lingüísticas indiscernibles? El propio Ronald nos dio hace años, para la revista *Monterrey* (Río de Janeiro, julio de 1931), una nota sobre las dificultades de verter al portugués la *Cobardía* de Amado Nervo.

---

[3] *...hova*, de una de las razas (de origen malayo) que pueblan la isla de Madagascar.

[4] *Ronald de Carvalho* (1893-1935). Crítico literario brasileño, autor de una *Pequena historia da literatura brasileira*.

«¿Cómo expresar exactamente y sin caer en el ridículo, aquel desesperante «Pasó con su madre»? En portugués del Brasil no hay lírico que se atreva a decir «Passou com sua mãe». Ningún extranjero puede figurarse la ironía que brota de aquel posesivo junto al nombre de madre en un verso de amor. Toda la inexpresable dulzura del hemistiquio se disolvería en mofa y sarcasmo. ¿Qué hacer entonces? Nuestros traductores corrompieron en diversas formas la sencillez maravillosa del original: «Passou com a mãesinha», «Passou com a mãe della», «Passou com a mãe». Y ese íntimo, gustoso, fluido y terso castellano: «Pasó con su madre», se convierte en un indestructible cuerpo simple, para el cual, hasta hoy, nadie pudo encontrar la solubilidad portuguesa. *Cobardía* nos da una prueba física de que los dos idiomas fundamentales de la Península se parecen tanto que no equivalen el uno al otro. El teorema de las paralelas tiene aquí una clara demostración.

Lengua cien veces ilustre la portuguesa. Ilustre por ser la expresión de una grande epopeya histórica que dejó sus huellas en todo el mundo conocido, y todavía supo abrir al esfuerzo humano nuevos caminos. Navegación y descubrimiento, civilización y conquista: tales las proezas del pecho siempre invicto lusitano. Con razón descubre Valery Larbaud [5] este rastro real en el testimonio de las palabras suntuarias, las que designan objetos de lujo y cosas preciosas. Lengua también ilustre por sus tesoros literarios, madruga a descubrir las formas de la lírica independiente cuando todavía no podía atreverse con ellas nuestro castellano central. El mismo rey don Alfonso el Sabio, que da su unidad a la prosa castellana, tiene que pasarse a la otra lengua vecina, al galaico-portugués de los trovadores, cuando se

---

[5] *Valery Larbaud* (1881-1957). Escritor francés, amigo y traductor de Alfonso Reyes, autor de un ensayo *De la traducción*.

ensaya con los metros líricos para cantar los loores de Santa María. El que ama de veras la lengua castellana tiene que amar a la vez la lengua portuguesa. Ambas se fertilizan la una por la otra, y mutuamente se acarician y halagan. Yo me complazco siempre en citar el consejo del purista Estébanez Calderón al joven Juan Valera: «Y a propósito le diré, si es que ya no ha caído en ello, lo útil que nos es la lectura de los buenos prosadores portugueses. Los lusismos sientan maravillosamente a nuestra lengua: son frutos de dos ramas de un propio tronco, que se ingieren recíprocamente para salir con nueva savia y no desmentido sabor». La luz del latín cae y se refracta en los dos prismas. Ambos efectos de refracción, conjugados y comparados, nos ayudan a mejor percibir el primitivo sabor latino, que a veces el uso ha desgastado. Y las palabras como que se enriquecen en este juego. A veces al traducir del portugués, os encontráis con una cosecha de palabras castellanas caídas en desuso (el «de vagar» del Arcipreste de Hita) o poco difundidas, como «curuja» (lechuza) o «virazón» (brisa); y aun con giros sintácticos olvidados o que sólo tímidamente se han asomado a nuestra lengua. Ejemplo: «Prefieren el triunfo o, entonces, la muerte.»

Dos testimonios sobre el aprendizaje de una lengua: el uno, aquellos ensayos de Mark Twain sobre *El italiano sin maestro*, chistosa descripción sobre las tribulaciones de un angloamericano entre la abundancia de nuestros accidentes del verbo y, sobre todo, ante el exceso de los pretéritos, que acusa una mayor evolución latina en la percepción del tiempo humano; el otro testimonio, más reciente y de mejor calidad, los *Divertimientos filológicos* de Valery Larbaud, quien se entregó solo, en Lisboa, a la entretenida tarea de pasarse del francés al portugués, apuntalándose un poco con el latín y un mucho con el castellano. «Esta ciencia, esta lengua —dice— la he aprendido como se obtiene el amor de una mujer». Y nos va relatando punto por punto su sabrosa aventura: «Yo era todo ojos y todo oídos, todo atención y respeto, consciente de habérmelas con los elementos de uno de los grandes idiomas literarios, con un vocabulario y una sintaxis glorificados por algunos de los mayores poetas, dramaturgos y prosistas del Occidente». ¡Si todos llegaran al portugués con igual inteligencia de amor!

Tipo del terror iberoamericano, en política y en todo: el platense medio (no el erudito), aunque dispuesto a confesar sus italianismos, menos humillantes a sus ojos por venirle de Europa, difícilmente reconoce y confiesa los brasileñismos que se han deslizado en su habla, frontera adentro, desde la tierra «gaúcha» hasta la «gaucha». Y la recíproca es verdadera e igualmente lamentable. ¿Qué hay de malo, ni qué hay de extraño, en convivir y cambiar con los vecinos? ¿No anduvo algún día todo el Uruguay en estos vaivenes, «territorio brasileño plantado en la Argentina», como decía Vasconcelos? ¿Vamos a negar nosotros los centroamericanismos notorios del istmo de Tehuantepec abajo? ¿No existe una América ístmica de cierta coherencia natural, por encima de las marcas políticas? ¿Y la pronunciación borrosa, que va de la tierra jarocha[6] a la cubana, como transportada en las ráfagas del Golfo? ¿Y aun los feos términos que se escurren aquende el Bravo[7], la «basquetita», y el «mueble», y otros inevitables «pochismos»[8] que atraviesan como malos gérmenes los tejidos, de una lengua a otra?

Volviendo a las dos hablas imperiales, a veces —y aquí está el toque de perfección— las diferencias

---

[6] *Jarocha*, de Veracruz, México.

[7] ...*aquende el Bravo*, por este lado del Río Bravo (o Río Grande), i. e., en México.

[8] ...*«pochismos»*..., expresiones lingüísticas de los mexicanos que habitan las ciudades fronterizas de Estados Unidos y México.

milimétricas en los significados secundarios son las que dan a la frase su atmósfera castellana o portuguesa. Yo puedo decir en ambas lenguas: «La juventud universitaria, en plena mocedad.» Pero se me antoja que esta forma es más directa e inmediatamente castellana, y que la correspondiente portuguesa sería más bien: «La mocedad universitaria, en plena juventud.» Y resulta que, apoyando más allá o más acá en las connotaciones accesorias, la palabra, de una a otra lengua, traslada de tal manera su centro de gravitación, que viene prácticamente a significar otra cosa y aun a caer en el sentido contrario. El adjetivo «exquisito», encomiástico en castellano como el francés «exquis», es peyorativo en portugués. Sin embargo, no puede negarse que ofrezca en castellano algunos matices de incomodidad o dificultad, como cuando Menéndez y Pelayo se queja, reparando en los indigenismos de algún poeta hispanoamericano, de que use palabras de «exquisita» pronunciación. El adverbio «apenas», que en castellano significa una dosis mínima, una limosna escasa, en portugués carece de este matiz de mezquindad o pobreza y vale: «tan sólo» o «solamente». Cuando el Consulado General de México en Río de Janeiro pasó a ser «simplemente» Consulado Particular, los periódicos cariocas anunciaron que tal Consulado, en adelante, sería «apenas» Particular. Y yo, como cuando la «postergación» de Buenos Aires, tuve que corregir algún posible ex abrupto de susceptibilidad diplomática con un poco de filología.

Cierto día creí descubrir una de las leyes diferenciales en la evolución de ambas lenguas. No me refiero a aquella aparente pérdida estructural en que todos han reparado: «Caliente-quente», «doliente-doente», «vuelo-vôo», «dolor-dôr», «color-côr». Hay algo más medular y profundo, que ya no es morfología, sino espíritu. Andando por la calle, comencé a observar ciertas expresiones de la gente humilde. Cerrando

10

los ojos, yo hubiera vestido con otros trajes a los interlocutores y les hubiera atribuido una condición social superior. Ignoro si el portugués europeo se prestará a iguales reflexiones. Me parece que sí. Aunque· nada tendría de extraño que la inimitable cortesía brasileña haya impreso poco a poco en el habla un sello de característica pulidez. A poco de andar, un vendedor pregonaba a voz en cuello: «¡Sorbetes, de diversas cualidades!»; frase que, en las calles de Madrid, casi provocaría una rechifla por alambicada y compuesta. El vendedor en la metrópoli castellana hubiera procurado más bien alardear de plebeyismo y escoger la expresión y el tono más del arroyo: «¡Helaos, de toos ellos!», o algo parecido. Y recordé que aún la gente mexicana, recién llegada de su solar —la provincia lingüística siempre es retardataria—, hace sonreír un poco a los madrileños por aquella su manerita escogida y redicha: por aquella preferencia del término culto («localizar a Fulano» en vez de: «encontrar a Fulano»); por aquella pronunciación más ortográfica que oral de los grupos consonánticos («perfecto» por «perfeto», «exacto» por «esato»), pronunciación que, en España, es privativa del hombre educado o, al menos, de un nivel comparativamente superior. Tal parece que, mientras el castellano central va lanzado hacia el popularismo, el portugués se concentra hacia los cultismos y formas escolares. Ya es significativo que a los niños brasileños se les corrija siempre para que nunca digan «más grande» en vez de «mayor».

No quiero extremar las conclusiones sobre si esto sea evolución ascendente o descendente. Unos pensarán que el popularismo es vida y el cultismo agonía. Otros, al contrario, que la lengua se vitaliza por la cultura y se desvirtúa en el abandono callejero. Gracián resume así su profesión de fe humanística: «Que donde no media el artificio, toda se pervierte la naturaleza» *(Criticón,* I, 1). Por una parte, es innegable que la vida al aire libre estimula los cambios lingüísticos, mientras la vida del gabinete tiende a la anquilosis; que contrastan con la necesidad de mudanza los frenos de la cultura; es decir: la escritura, la fijación gramatical, la noción conservadora en que toda pedagogía se inspira. Por otra, aun dentro del campo conservador de la cultura, hay energías aceleradoras de tipo intelectual y poético, las cuales en cierto modo remedian el efecto de las energías fijadoras. Huysmans[9] —aunque confunde la transformación con la descomposición, por el prejuicio «decadente» —dice en *A rebours*:

> La descomposición de la lengua francesa se había operado de un golpe. En la latina, hay una larga transición, un lapso de cuatrocientos años entre el verbo jaspeado y soberbio de Claudiano y Rutilio y el verbo ya en disolución del siglo VIII. En la lengua francesa, ningún lapso, ninguna sucesión de edades fue menester: el estilo jaspeado y soberbio de los Goncourt y el estilo en disolución de Verlaine y de Mallarmé se codeaban en París, vivían al mismo tiempo, en la misma época, en el mismo siglo.

Y si no me engaño, la actual pronunciación de «Que sais-je?», con elisión de la «e» muda, no pasa de ser una moda cortesana impuesta por Luis XIV.

Tampoco pretendo sacar de aquí fáciles metáforas políticas, de que desconfío por lo fáciles. En rigor, no quiero concluir nada. Sólo quise pasear un poco por esta frontera de las lenguas, donde, como en toda frontera, aprendemos a perdonar y a pedir perdón; es decir, a entender.

1933-1941 *(La experiencia literaria*, 1942).

---

[9] *Joris-Karl Huysmans* (1848-1907). Novelista francés entre naturalista, esteticista «decadente» y espiritualista. *A rebours* significa «a contrapelo», «contra la corriente».

SOBRE LA NOVELA POLICIAL

De todas las feas denominaciones que han dado
en emplearse para cierto género novelístico hoy
más en boga que ninguno —novela de misterio, de
crimen, «detectivesca», policíaca, policial— prefiero
esta última. Las demás, o parecen despectivas, o
limitadas, o impropias por algún concepto. Sobre
esta novela policial me atreví a decir —y lo ha recordado recientemente Jorge Luis Borges[1] en Buenos
Aires— que era el género literario de nuestra época.
No pretendí hacer un juicio de valor, sino una de-
claración de hechos: 1) es lo que más se lee en nuestros
días, y 2) es el único género nuevo aparecido en
nuestros días, aun cuando sus antecedentes se pierdan,
como es natural, en el pasado.

Se me ocurre charlar hoy un poco sobre la novela
policial, y me da ocasión una experiencia reciente.
Un eminente psiquiatra mexicano me encontró una
de estas mañanas con una novela policial en la mano,
y hablamos así:

—¿También usted lee estas cosas?

—Soy un decidido aficionado. Me interesan sin
conmoverme. En la que llamaremos «novela oficial»,
todo conflicto me conmueve y agita. En la policial,
todo conflicto me deleita porque enriquece la in-

---

[1] *Jorge Luis Borges.* Poeta, ensayista y cuentista argentino,
nacido en 1899, autor de cuentos policiales de tipo muy sofisticado
y de cuentos fantásticos y metafísicos. Para Reyes, Borges es el
más excelso de los escritores hispanoamericanos modernos, y
viceversa.

vestigación. En la novela oficial, una muerte puede hacer llorar, como lloraban el fallecimiento del personaje «Amadís» la dama y su servidumbre, en la anécdota que todos los humanistas conocen. En la novela policial, al contrario, una muerte es bienvenida, porque da mayor relieve al problema. Descansa el corazón, y trabaja la cabeza como con un enigma lógico o una charada, como con un caso de ajedrez. Pero el trabajo no es tan intenso que fatigue, y además sabemos que, por regla, nos van a dar la solución en el último capítulo; de suerte que podemos ser un tanto pasivos si nos place, y graduar nosotros mismos la atención y la energía mental que deseamos gastar. Finalmente, el problema no conlleva el dolor de la abstracción lógica, sino que va cómodamente encarnado en Pedro, Juan o Francisco. En suma, leo novelas policiales porque me ayudan a descansar, y me acompañan, sin llegar a fascinarme u obsesionarme, a lo largo de mis jornadas de trabajo, con esa música en sordina de un «sueño continuado» que no tiene nada de morboso; me permiten satisfacer esa necesidad de desdoblamiento psicológico que todos llevamos adentro (y a la que importa buscar alguna salida por buena economía del espíritu), sin poner para eso en acción todos los recursos sentimentales ni la preocupación patética que exige la novela oficial.

—Tiene usted razón —me contestó mi amigo—. En algunos casos, y por los mismos motivos que usted dice, yo aconsejo estas lecturas a mis enfermos de fatiga nerviosa. Por donde caemos en el tema de la higiene mental que trataba usted en algún artículo. ¿Y le interesa a usted igualmente la novela policial que el cuento policial?

—En principio, necesito que la obra tenga cierta extensión para que logre persuadirme con su engaño estético. Los antiguos retóricos se acercaron muchas veces (y el primero, Aristóteles) a este tema de la relación entre el lícito engaño literario y la dimensión del poema. En sus comentarios sobre *El cuervo*, algo dice al respecto Edgar Allan Poe. Quizá no sea posible decir más, pues el tema es resbaladizo y escapa a la razón dosimétrica. Pero hay una cierta relación entre la cantidad y la calidad poética, que puede ser de primer grado o de grado recóndito, de orden directo o de orden inverso. Y en el tipo de ficción policial es obvia, es de primer grado y de razón directa. Victoria Ocampo[2], también gran lectora de estos libros, me ha declarado que sólo soporta la novela y no el cuento. Yo soy un poco más ecléctico, pero suscribo, en tesis general, el mismo principio.

—¿Se ha escrito algo que merezca leerse sobre el género policial?

—Hay un buen ensayo de Roger Caillois[3], y hay mil notas y luminosos atisbos en Jorge Luis Borges, que, en colaboración con Adolfo Bioy[4], está dando carta de naturalización al género en la literatura hispanoamericana y, podemos decir, en la hispana. Joseph Wood Krutch, autor de un reciente libro (¡otro más!, aunque bueno) sobre Samuel Johnson[5], acaba de publicar un breve y agudo ensayo al respecto en *The Nation* (25 de noviembre). Si le interesa, aquí lo tiene usted.

Aunque, como ya se supondrá, mi amigo no me ha devuelto ese número de *The Nation*, no quiero privar al lector de algunas observaciones de Krutch,

---

[2] *Victoria Ocampo*. Escritora argentina (crítica y ensayista), nacida en 1893, suprema «dama de letras» y fundadora de la Revista *Sur* en Buenos Aires.

[3] *Roger Caillois*. Crítico literario francés, nacido en 1913.

[4] *Adolfo Bioy Casares*. Narrador argentino nacido en 1914, innovador en la «ciencia-ficción» *(La invención de Morel)* y colaborador de Borges (con el seudónimo «H. Bustos Domecq») en los cuentos policiales *(Seis problemas para don Isidro Parodi.)*

[5] *Samuel Johnson* (1709-84). Literato inglés y autor de un diccionario de la lengua inglesa.

que me atrevo a ofrecer aquí de memoria y mezcladas con observaciones propias:

El género policial —viene a decir Krutch— es un género vergonzante. Todos lo practican, pero el lector sorprendido con una de estas novelas se disculpa diciendo: «No es más que una novela policial» frase que sustituye a la de «No es más que una novela», que, en el siglo XVIII, causaba la indignación de Jane Austen [6]. Ahora bien, si muchos se creen obligados por imperativos de cultura a leer una buena novela de éxito, en cambio la novela policial se lee sin compulsión alguna, y ni siquiera se habla de ella con los vecinos. Tiene las condiciones esenciales del atractivo literario, el placer: acaso motivo más imperioso que el deseo de intruirse o la ineptitud para soportar la presión social que nos rodea. Esta novela es hasta hoy la Cenicienta de la Novela. Se la considera un tipo subliterario por dos motivos: 1), los autores que a ella se consagran son demasiado prolíficos; 2), la novela policial se escribe con visible apego a cierta fórmula o canon.

Lo primero es consecuencia de la excesiva demanda, y se presta sin duda a la producción industrial de obras mediocres; pero se puede ser abundante sin ser por eso mal escritor. La objeción no es una razón necesaria en contra. Piénsese en la obra, tan copiosa como excelente, de Balzac, Dickens, Anthony Trollope [7], Galdós. La segunda objeción carece de sentido crítico. Las obras no son buenas o malas por seguir o dejar de seguir una fórmula. Siempre siguió una preceptiva de hierro la tragedia griega y no se la desestima por eso. Y Lope de Vega fue, a la vez, abundantísimo y dado a ajustarse a la

---

[6] *Jane Austen* (1775-1817). Novelista inglesa, precursora del realismo *(Orgullo y prejuicio.)*

[7] *Anthony Trollope* (1815-1882). Novelista inglés, autor de narraciones sobre la vida de provincias. *(Dr. Thorne.)*

fórmula fácil y económica con que él mismo organizó la comedia española. De suerte que este ejemplo solo (no lo trae Krutch, claro está: hoy nadie conoce, fuera de nuestra habla, la literatura española) basta para anular ambas objeciones.

Después de todo «fórmula» es «forma», y no le está mal a la novela, tan orillada por naturaleza a los desbordes, y más en los últimos tiempos, un poco de forma. La gran popularidad denuncia, quiérase o no, alguna virtud en la obra que la disfruta. Claro que esta virtud podrá o no ser de orden estético. Todos devoran un libro de escándalo, aunque sea de pésima literatura. Pero parece más bien que la novela policial ofreciera algunas cualidades desdeñadas por la novela oficial, y que de lejos la emparientan con la añeja novela de aventuras, amada de Paul Claudel. (¡Maldición para quien olvide el grande nombre de Stevenson!)

Aun cuando somos adoradores del buen estilo, confesamos que no está aquí el secreto del éxito para la novela policial. Hay muchos autores adocenados que se las arreglan tan bien como la erudita y excelente escritora Dorothy Sayers[8]. El secreto, sin duda, está en la distracción: ni siquiera en la amenidad. Que, a veces, la historia es muy escueta y, sin embargo, nos distrae.

Para esclarecerlo habría que estudiar la evolución del género, desde sus precursores definidos —Poe, Collins, Conan Doyle— hasta nuestros días. Tal vez Krutch tenga razón en proponer el año de 1925 como el hito inicial del tipo específicamente contemporáneo. No lo afirmamos de fijo. Pero sí creemos poder afirmar que Louise Bogan[9] se engaña atribuyendo el secreto del éxito al sentimiento de miedo, característico de

---

[8] *Dorothy Sayers*. Autora inglesa de novelas policiales, nacida en 1893.

[9] *Louise Bogan*. Poetisa y crítica norteamericana, nacida en 1897.

nuestra época insegura. (Y aquí de la angustia de Kafka, Kierkegaard y otras honduras por este tenor). No: el miedo, ni cubre todo el campo genérico, ni cuando aparece es siempre el elemento principal en la historia. Al contrario, el tipo contemporáneo se aleja en principio de ese vaho pavoroso que envuelve las obras de Poe, de Hoffmann[10], etc. Acaso la novela oficial realice imperfectamente la «catarsis» —que tan naturalmente se da en la novela policial—, por culpa de ciertos agobios de seriedad y de análisis, que ya Wilde censuraba en Bourget y que hoy han llegado a deliciosos extremos, demasiado sutiles sin embargo para los grandes públicos (Proust). Estos agobios de seriedad fácilmente paran en pesadeces, llevan a olvidar las energías primarias del juego —y a un juego superior se reduce el disfrute estético— y carecen de aquella facultad incomparable que Nietzsche llamó «la fuerza ligera». Krutch exclama (¡y con cuánta razón!): —Acaso se inicia la decadencia de la novela el día que el novelista se propone discernir conscientemente entre lo «importante» y lo «interesante». Sí: la golosina puede hartar e indigestar. Pero es un pésimo síntoma de salud preferir, en sí, la purga a la golosina.

Interés de la fábula y coherencia en la acción. Pues ¿qué más exigía Aristóteles? La novela policial es el género clásico de nuestro tiempo.

Todo, México, 4 enero 1945 *(Los trabajos y los días*, 1945).

---

[10] *E. T. A. Hoffmann* (1776-1822). Escritor romántico alemán, autor de unos *Cuentos fantásticos*.

LAS GRULLAS, EL TIEMPO Y LA POLÍTICA

El domingo 23 de enero de 1913, el día amaneció gris. Un sol tímido se asomaba y se escondía por intervalos. El viento remecía los árboles, barría las calles. Las hojas rodaban por el suelo. (En los cuentos de Peter Pan[1] se dice que nada tiene un sentimiento tan vivo del juego como las hojas. Así es.) Abríamos cautelosamente nuestra puerta, esperábamos a que pasara la ráfaga y nos echábamos a la ciudad. El tiempo convidaba a marchar militarmente, hendiendo el aire y soportando el chispear del agua: caen unas agujitas frías, dispersas. En cada bocacalle hay que desplegar un plan estratégico para escapar a los torbellinos de polvo. En suma: el tiempo amaneció despeinado y ojeroso.

La gente no hablaba más que del tiempo. El tiempo, a pesar de todas las protestas, quiere que se hable de él. Las conversaciones de los hombres están tramadas sobre esta sustancia fundamental: el tiempo. Hablar del tiempo ha sido y será siempre un rasgo irreducible del hombre. ¿Qué es el hombre? El hombre es un ser que habla del tiempo con sus semejantes. Para los labriegos y los marinos, saber hablar del tiempo entra, desde luego, en el oficio; conocer el tiempo es un modo de profecía, y hasta puede ser cuestión de vida o muerte. Para Ulises, el más sutil de los navegantes, la ola y el viento son una constante preocupación.

---

[1] *Peter Pan*. Obra de fantasía infantil del inglés James Barrie (1860-1937).

Hesíodo[2], un campesino, ha dado muy útiles consejos sobre el tiempo y la sazón de sembrar: «Al oír
todos los años —dice— el grito de la grulla desde las
nubes, se aflige el corazón de los que no tienen bueyes
con que arar, porque es ese grito el anuncio del invierno lluvioso y la señal de la labor». Dante —¿no
es él?— nos habla también de unas grullas que revolotean gritando por el aire, mojado el plumaje.
Virgilio, el maestro de Dante[3], en un libro que escribió para los labriegos, no se cansa de hablar del
tiempo: «No en vano —exclama— observamos el nacimiento y las mudanzas del año, dividido por igual
en cuatro estaciones. En la fuerza del verano se coge
el rubicundo trigo, y entonces también se trillan en
la era las tostadas mieses. Entonces se cazan las grullas
con lazo y los ciervos con redes, y se corren las ore-
judas liebres.» Ya se ve que, de cierta manera literaria, podemos decir que hablar del tiempo es «hablar
de las grullas». También Albanio, un pastor de Garcilaso, cuenta cómo solía, en mejores tiempos, cazar
la grulla («nocturna centinela»),

> cuando el húmedo otoño ya refrena
> del seco estío el gran calor ardiente
> y va faltando sombra a Filomena[4]

La inspiración popular, de que las nodrizas son
como unas vestales, ha creado multitud de historias
sobre el tiempo, sobre el sol y la lluvia, sobre las
ráfagas y los torbellinos. No hay que olvidar que el
viento nos ha contado la historia de Valdemar Daae
y sus tres hijas («¡Hu-hu-hud! ¡Escapo, vuelo!»)[5]

[2] *Hesíodo.* Poeta griego del siglo VIII o IX a. C. en su obra *Los
trabajos y los días.*

[3] *Dante Alighieri* (1265-1321) evoca en su *Divina Comedia* a
Virgilio (70-19 a. C.) como guía. A. Reyes se refiere a *Las Geórgicas.*

[4] *Garcilaso de la Vega* (1501-1536), Égloga Segunda, versos 233-235.

[5] *Valdemar Daae...* Referencia a un cuento del cuentista danés
Hans Christian Andersen (1805-1875), titulado *El viento cuenta
de Valdemar Daae y sus hijas.*

Mas en las experiencias comunes el tiempo es, sim-plemente, una moneda de la conversación. El trueque es a la moneda lo que el verdadero cambio de ideas a las conversaciones sobre el tiempo. Los que hablan entre sí del tiempo no son amigos todavía; no han hecho más que el gasto mínimo del trato humano, en el valor acuñado de la conversación. Las conver-saciones del tranvía sobre la política se parecen, en este sentido, a las conversaciones sobre el tiempo: una manera de salir del paso. ¡Cuántas quejas del tiempo y cuántos políticos injuriados gratuitamente por sólo la necesidad de conversar de algo con el vecino casual del tranvía! Muchas veces el tiempo nada tiene de extraordinario; como de algo hemos de hablar, hablamos del tiempo. Muchas veces no sucede nada en la república; muchas veces la «política» es un mero invento de la conversación, un embuste ad-mitido. Y así se vive. La conversación llega, al fin, a sustituir el verdadero e impasible mundo de la po-lítica por otro fantástico, que es el mundo de la su-perstición laica. Los supersticiosos laicos se encuen-tran entre los ávidos de emociones, para quienes la vida no tiene bastante color, fantasía ni encanto. Ellos, corrigiéndola con sus inventos, echan a volar esas fábulas que mañana serán historia: os aseguran que antes de dos días va a estallar una conspiración; que dentro de una semana caerá el gabinete; afirman que no era Juárez[6] quien gobernaba, sino su ministro Lerdo; que no era el general Díaz, sino Carmelita[7]. Es viejo este vicio, por más que haya escapado a las sátiras de Juvenal, sin duda porque él lo compartía. Tácito, que debajo de su sobriedad era un delirante apasionado por las emociones, recogió, en sus *Anales*,

[6] *Benito Juárez* (1800-72). Político, patriota, vicepresidente y presidente de México. Su ayudante Sebastián Lerdo de Tejada le sucedió en la presidencia.

[7] *Carmelita*, o Carmen, se llamaba la esposa del presidente Porfirio Díaz.

muchas vulgares habladurías de esas que dicen las viejas tras el fuego: Augusto, en sus últimos días, gustaba singularmente de los higos, y se complacía en ir a su huerto y arrancarlos por su mano del árbol. Augusto murió. Auras corrieron de que su esposa Livia (madre fatal para la República, madrastra más fatal aún para los Césares) había envenenado los higos en la misma higuera. Tácito se refiere al crimen sin descender a sus circunstancias particulares; las he sacado de Dión[8]. Pero mi discreto comentarista añade: ¿Y no es, en el fondo, la cosa más natural que muera un hombre, como Agusto, a los setenta y seis años de edad, sin necesidad de patrañas ni de los higos envenenados? Creer en este crimen de Livia es una de tantas hablillas, una de tantas supersticiones laicas.

Para terminar esta divagación, quiero hablar de los perseguidos de la charla política; quiero quejarme en nombre de ellos. Hay hombres que están como señalados por un hado travieso para sufrir este género de contratiempos, las charlas políticas. Quien los topa por la calle parece que se considera obligado a importunarlos y, aunque nada tenga que decirles, les habla. Si van de prisa y como urgidos por algún quehacer, no importa: se les detiene al paso, aunque sea para darse el gusto de proferir ante ellos tres o cuatro interjecciones sobre «la situación actual», el tema periodístico. Y eso, cuando no quiere su mala estrella que las gentes los supongan enterados de las más profundas arcanidades políticas, y se empeñen, en mitad de la plaza, en averiguar de ellos los secretos de palacio. Por huir de tales calamidades, Horacio se escondía en su casa de campo. Como lo sabían amigo del poderoso Mecenas, querían penetrar por su conducto todos los misterios de la república, los últimos

---

8 *Dión Casio* (170-235 d. C.). Historiador griego, autor de una *Historia de Roma*.

acuerdos del César, si las tierras prometidas a las tropas romanas serían sicilianas o itálicas, y qué cosa se decía de los dacios. Hace ocho años —cuenta el orgulloso poeta de la sátira VI del libro II— que Mecenas me ha recibido entre los suyos; apenas nos ven juntos en el teatro o en el campo de Marte, y todos exclaman: ¡Oh, afortunado! Me creen poseedor de los secretos públicos, y atribuyen a discreción mi ignorancia. Se imaginan que Mecenas me tiene al tanto de todos los grandes asuntos.

Y, a todo esto, ¿sabéis de qué hablaba Mecenas con Horacio, durante los ocho años que dice? ¡Del tiempo y solamente del tiempo! Es decir: de nada. Se inclinaba a su oído, y le dejaba caer cosas tan sustanciales como ésta:

—¿Qué hora es?... ¡Vaya una mañanita fría que nos ha amanecido!

El cazador (Ensayos y divagaciones), 1921.

«POR MAYO ERA, POR MAYO...»[1]

I

¿Y tú la edad no miras de las rosas?

RIOJA[2]

Ya sabe la flor lo que la espera. Los poetas se lo han revelado mil veces. Pero hay una flor perdurable, y es la de las artes o las letras, la que se nombra o la que se figura, la ausente de todo ramillete, que decía el maestro Mallarmé. Cuando todas estas maravillas naturales se hayan marchitado, todavía seguirán luciendo, con intacta virtud, esos cuadros y aquellos poemas en que el hombre se ha apoderado de las primaveras del mundo. Sólo así cobran, como en los ensueños de Díaz Mirón[3],

inmarcesible juventud los campos
y embriagadora eternidad las flores.

Conforme la flor se traslada de la tierra al espíritu, gradualmente se va trocando menos mortal. Pero también el cultivo de lo efímero, si ello es hermoso,

---

[1] «*Por mayo era, por mayo...*» Cita de un viejo romance español titulado *Romance del prisionero*, y que empieza así: *Que por mayo era, por mayo, / cuando los grandes calores, / cuando los enamorados / van a servir sus amores...*

[2] *Francisco de Rioja* (1583-1659). Poeta sevillano. Autor de la famosa silva *A la rosa*.

[3] *Salvador Díaz Mirón* (1853-1928). Poeta modernista mexicano.

posee sus encantos irónicos. La mente se venga de la muerte adorando lo que vive un día. No sólo los indígenas de Bali, sino dondequiera que hay hombres, se alza un altar a la belleza instantánea. Los antiguos cultivaban, con supersticioso arrobamiento, aquellos diminutos Jardines de Adonis, que nacían por la mañana y estaban mustios a la noche. La huella de lo perecedero se inmortaliza sólo en el alma, y Fausto es capaz de comprar un beso a cambio de la eternidad. Como el instante de dicha se apaga casi al encenderse, podemos gritar en su seguimiento, tocando levemente la palabra de Goethe: «¡Detente!... ¡*Eras* tan bello!» Pero si es bello «es» para siempre: «Es un goce eterno», ha dicho otro poeta[4]. Imagen de amor y de poesía, la flor, como la sensitiva, se cierra apenas se la toca, apenas se la disfruta. Gran privilegio humano, magia concedida al hijo de Adán, es perpetuarla en su adoración. Y tal es la historia, la fantasía árabe, de la flor que no ha muerto nunca.

Grande es, hasta donde alcanzan los documentos, la tradición del culto a la flor en la poesía mexicana; es decir, en la sensibilidad mexicana. Desde los poemas prehispánicos, el cantor indígena nos dice que «se reconcentra a pensar en las vistosas flores». Sor Juana lloró sobre la «rosa divina». Un indio moderno, *El Nigromante*[5], férreo caudillo liberal y poeta de corte clásico, llamó a la flor «madre de la sonrisa». Nuestro pueblo, en sus cantares, sigue pidiendo amores a la amapolita morada. La flor nos acompaña en vida y en muerte, con aquella fidelidad renaciente del ciclo de las estaciones. Somos una raza prendada de la flor; y acaso la mejor enseñanza y la más pura experiencia contra los ímpetus de la baja sensualidad está en que la flor se disfruta con los ojos y con la

---

[4] ...*otro poeta*. Podría ser John Keats, mencionado al final de la *Visión de Anáhuac*.

[5] *El Nigromante*. Vid. nota 42 para *Visión de Anáhuac*.

mente, o por su aroma a lo sumo, sin que nos sea dable acariciarla, a riesgo de deshacerla entre las manos. Hay que amarla con desinterés: casi, casi, como a una idea. Porque ¿quién ha poseído nunca una flor? Y, sin embargo, «la inconsciente coquetería de la flor prueba que la naturaleza se atavía a la espera del esposo».

Las flores del jardín mexicano han salvado nuestras fronteras. Entre nuestros más vivos recuerdos del Servicio Exterior, nos acude la evocación de cierto día en que ofrecimos al Jardín Botánico de Río de Janeiro una reproducción del dios primaveral, Xochipilli, para que presidiera el rincón mexicano que, en aquel lugar paradisíaco, quiso y supo arreglar un enamorado de nuestra flor, Campos Porto[6]. Desde entonces, en el cielo de la ciudad maravillosa se establece un diálogo etéreo entre dos númenes mexicanos: el Xochipilli, que nos tocó consagrar, y aquel Cuauhtémoc[7] que llevó a las playas cariocas, años antes, nuestra Embajada al Centenario de la Independencia Brasileña.

---

[6] *M. E. de Campos Porto*. Jurisconsulto brasileño y archivero del Senado federal, nacido en Río de Janeiro en 1856.

[7] *Cuauhtémoc* (1497-1522). Ultimo emperador azteca, sobrino y yerno de Moctezuma II.

II

Por mi mano plantado tengo un huerto.

FRAY LUIS DE LEÓN [8]

Pero ¿por qué hablar de la flor y no de la planta?
¿De una cabeza degollada, y no del cuerpo cabal que
la sustenta? Y hablar de la planta, ¿no es ya, en cierto
modo, comenzar a hablar de la agricultura? Procedamos del ramillete al jardín, y del jardín al campo.

La agricultura es la base física de la civilización.
No sólo base de origen, sino base permanente: con
ella comienza la ciudad. Pues, como decía Aristóteles,
la ganadería es una manera de cultivo para cosechas
en movimiento. Y la «metalería», podemos añadir, es
una manera de cosecha para un género de plantas rí-
rígidas que, dichosa o desgraciadamente, no nos es
dable sembrar ni fomentar a nuestro arbitrio.

Hay más: la conservación de nuestra especie es
también un orden agrícola, y el orden agrícola le es
tan principal que aun desvanece ciertas fronteras entre
bestias y hombres. Así se explica que los antiguos
consideraran al buey, auxiliar de la agricultura, asociado al hogar del hombre y que comparte su existencia y su casa, como un miembro más de la tribu,
unido a ella por los vínculos totémicos de la sangre.
El sacrificio del buey es considerado como una excelsa
y dolorosa oferta a los dioses. La magia inventa frau-
des para tranquilizar la conciencia, convenciendo al

---

[8] *Fray Luis de León* (1527-1591), Oda I, «Vida retirada».

hombre de que el propio buey ha solicitado el sacrificio; y el cuchillo con que se lo mata es juzgado por delito de sangre y arrojado al mar en castigo. Las hecatombes de los guerreros de la *Ilíada*[9] eran verdaderas carnicerías de reses, porque se vivía en áspero régimen de guerra. Pero cuando los guerreros regresan a su vida pacífica, vuelven al respeto tradicional. En casa de Néstor[10], mientras los destazadores degüellan y asan los bueyes a presencia de la diosa Atenea, las mujeres se deshacen en lamentaciones y gritos: mueren algunos de los suyos, aquellos compañeros de labor a quienes precisamente las mujeres seguían, arreándolos por los surcos.

En una novela de Aldous Huxley[11], cierto químico se pregunta con angustia qué porvenir reservaría la política a un plan cuyo objeto fuera evitar el desperdicio del fósforo. El fósforo es indispensable a la vida, y resulta que plantas, animales y hombres destruimos las reservas de la naturaleza, sin poder crear restituciones. Así, en unos millones de años, la vida habrá desaparecido.

Esta relación entre el ser y su ambiente, que la ciencia llama ecología y es condición de la existencia, admite, en todo caso, el ser sometida a la previsión humana, bajo una proporción práctica, ya que no bajo la proporción cósmica del sabio de Huxley. La política agrícola es indispensable a la conservación social, y más en tiempos como el presente, cuando el caballo de Atila[12] destruye la yerba que pisotean sus

---

[9] La *Ilíada*. El poema épico de Homero que habla de los héroes de Troya. Etimológicamente *hecatombe*: Sacrificio de cien (exaton) bueyes (Bous).

[10] *Néstor*. Rey de Pilos, el más anciano de los príncipes que asistieron al sitio de Troya (figura en la *Ilíada* y en la *Odisea*.)

[11] *Aldous Huxley* (1894-1963). Novelista inglés, satirista de la vida moderna en novelas como *Brave New World*. (Un mundo feliz).

[12] *Atila*. Rey bárbaro de los hunos, del siglo v, quien gustaba decir que donde pisase su caballo no nacería hierba.

cascos y hay que preparar las trojes para el hambre universal que viene después de las guerras.

A diferencia de la mayoría de las plantas, que se alimentan exclusivamente de sustancias inorgánicas, el hombre necesita, como el animal, de sustancias orgánicas. La base del sustento humano es agrícola en principio. Esta base agrícola determina la subsistencia histórica y, en mucha parte, conduce la política. Para reconocer cosa tan obvia no hace falta sentar profesión de materialismo histórico. Mientras el hombre se consideró el centro y el amo de la naturaleza, al modo que el sistema tolemaico ponía a la tierra en el centro del universo, la historia fue entendida como iniciativa caprichosa de unos cuantos héroes. El monarca persa mandaba azotar el mar, que no permitía bogar a sus flotas. Un día acontece la revolución copernicana en la Historia. Y hoy el mismo Napoleón, héroe si los hay, nos aparece como un satélite más, arrastrado en los torbellinos de los grandes mercados. El héroe victorioso sólo se caracteriza por una conciencia más clara de los destinos.

Y ahora los destinos mandan que México se provea y prepare. La intensificación de la agricultura es tarea en que la compañera del hombre puede volver a ayudarlo eficazmente, como en los tiempos primitivos. Es tarea seductora y estética, adecuada a la sensibilidad femenina, y corresponde al instinto maternal, en cuanto puede rendir frutos relativamente a corto plazo. El instinto varonil, en cambio, está volcado sobre la abstracción del porvenir. Los frutos sociales que anhelamos, ni siquiera soñamos que lleguen a verlos nuestros hijos o nuestros nietos. Y una ambición inerradicable en esta familia de Prometeo[13] a que todos pertenecemos, mujeres y hombres, nos

---

13 *Prometeo*. Dios o genio del fuego, en la mitología helénica: creador del hombre e iniciador de la primera civilización humana.

hace concebir nuestra satisfacción como un descuento sobre el crédito de la gloria futura.

Para contribuir al rendimiento agrícola no es necesario contar con vastas posesiones territoriales ni complicados implementos, más propios de la administración y del músculo de los hombres. Se puede hacer agricultura en el jardín o en el patio de la casa, en el parterre de la escuela y hasta en el tiesto del balcón. Cuanto se intente en este orden merecerá la gratitud nacional, y un día será el consuelo de nuestros años soledosos. Que, como en el *Cándido* de Voltaire[14], cada cual cultive su propio jardín. El poeta latino Ausonio[15], desengañado de la corte, las mundanidades y la grandeza, y aun despechado de la nueva religión, por cuanto no supo ella amparar a su imperial protector Graciano, regresa al fin a su «parva heredad», busca los consuelos nunca engañosos de la naturaleza, y se consagra a cultivar sus espesos viñedos y sus vivas rosas bordelesas, junto con sus versos, que son otras rosas menos perecederas.

México, 5 de mayo de 1946. IV Exposición de la Flor, en Chapultepec. *(Ancorajes*, 1951.)

---

[14] *Voltaire* (1694-1778). Gran espíritu crítico y escéptico francés, que satiriza la filosofía optimista de Leibniz en su novela *Candide*.
[15] *Ausonio.* Poeta latino, nacido en Burdeos (c. 310-395 d. C.).

MEMORIAS DE COCINA Y BODEGA:
DESCANSO XIII[1]

Seguramente que la cocina es una de las cosas más características de nuestra tierra, junto con la arquitectura colonial, la pintura, la alfarería y las pequeñas industrias del cuero, de la pluma, de la palma, de la plata y del oro. El guiso mexicano y la jícara pintada con tintes disueltos en aceite de chía[2] obedecen a un mismo sentimiento del arte. Y se me ocurre que la manera de picar la almendra o triturar el maíz tiene mucho que ver con la tendencia a despedazar o «miniaturizar» los significados de las palabras mediante el uso frecuente del diminutivo.

Esta tendencia al diminutivo va de lo sublime a lo ramplón, manteniéndose generalmente en el nivel medio de la cortesía; y lo mismo puede ella apreciarse en el habla popular de los mexicanos que en la poesía superior: «Un *poquito* de ensueño te guiará en cada abismo... Vengo *chinita* de frío... Soy cosa tan *pequeñita*...» decía Nervo[3].

Hay en esto su semilla andaluza. Hace años, yo sentía el calofrío mexicano oyendo cantar a la gitana Pastora Imperio: «¡Y es lo *uniquito* que siento!», o

---

[1] *Descanso. XIII*, por *Capítulo XIII*. Reyes llama *Descansos* a los capítulos de estas memorias culinarias, imaginándose que cada uno es como un descanso o pausa entre comidas, o entre partes de una comida.

[2] *chía*, semilla de una planta mexicana.

[3] *Nervo*. El poeta Amado Nervo, figura sobresaliente del modernismo mexicano.

a Dora la Cordobesita[4]: «S'a *riaíto* Triana», es decir: Triana se ha riadito, se ha riado, se ha inundado con el río. Diminutivos extravagantes que hacen recordar aquel atroz gerundio en diminutivo[5] que, por respeto al juez, usó el indio jornalero para explicar lo que estaba haciendo la adúltera. Y de igual modo, entre cariñoso y cruel, apretaban la lengua los campesinos de mis montañas natales cuando, viéndome errar el tiro, me consolaban con esta palabra microscópica: «¡Ya *merito*[6] le daba!»

Nosotros creemos que esta cosquilla sensual del diminutivo es una emanación asiática, que nos llega del Pacífico entre los demás primores chinescos traídos por la Nao de Oriente hasta el puerto de Acapulco, durante aquellos tres siglos densos del virreinato que fueron fraguando, sordamente, el metal del pueblo mexicano.

Esta puntita de puñal del diminutivo conviene al pueblo que, en un alarde del tacto, viste pulgas y hace con ellas un cortejo de novios; al pueblo que parte en dos algunos cabellos a lo largo de su temblorosa historia; al que sabe, cuando es preciso, hacer rendir —en las fatigosas jornadas del combate— toda su energía a la molécula de maíz o a la gota de agua, aprovechando hasta el fondo su virtud nutritiva, en menos que milimétrica perfección. No hay que asombrarse: tal es el milagro de la Hostia Santa, juntar en leve pretexto de materia todo el poder de Dios.

---

[4] *Pastora Imperio, Dora la Cordobesita*. Bailaoras y cantaoras andaluzas. Para Pastora, el músico Manuel de Falla (1876-1946) compuso su ballet «El amor brujo». *Triana:* barrio de Sevilla frecuentado por los gitanos.

[5] *aquel atroz gerundio...* Se trata de una palabra vulgar no usada en «buena sociedad» en México. (La anécdota, que sucedió en Santo Domingo y cuya fuente primaria fue Pedro Henríquez Ureña, la recogió después A. Alonso en su estudio «Noción, emoción, acción y fantasía en los diminutivos» en *Estudios lingüísticos. Temas españoles*, 3.ª ed., Madrid, Gredos, 1967, pág. 175.)

[6] «*Ya merito...*» (mex.). Ahora mismo, o «casi, casi...».

La técnica de lo pequeño, aplicada a las artes del paladar, nos llevaría a hablar del «pinole»[7], último residuo de la trituración de cereales: maíz «cacahuacintle»[8] o maíz esponjado que se ha tostado previamente, molido al «metate»[9] con canela y con «piloncillo», que es el azúcar negro, anterior a la refinación; hay quien añade cáscara de naranja seca y molida. Esta golosina se encuentra ya por los límites de la materia, a punto de confundirse con el vaho. El sólo aliento basta para absorberla o repelerla, y por eso dice nuestro refrán: «No se puede chiflar y comer pinole», que vale: «No se puede repicar y andar en la procesión»[10]. Quien come pinole, como quien come polvorones, tiene que cerrar bien la boca; y el que no sabe comerlo, se ahoga, porque —como dice la gente— «le da en el galillo».

Pero el sentido suntuario y colorista del mexicano tenía que dar con ese lujoso plato bizantino, digno de los lienzos del Veronés[11] o mejor, los frescos de Rivera[12]; ese plato gigantesco por la intención, enorme por la trascendencia digestiva, que es abultado hasta por el nombre: «mole de guajolote»[13], grandes palabras que sugieren fieros banquetes.

El mole de guajolote es la pieza de resistencia en nuestra cocina, la piedra de toque del guisar y el comer, y negarse al mole casi puede considerarse como una traición a la patria. ¡Solemne túmulo del pavo, envuelto en su salsa roja oscura, y ostentado en la

---

[7] *'Pinole'* (mex.). Harina de maíz tostado.

[8] *'cacahuacintle'* (mex.). Tipo de maíz.

[9] *'metate'* (mex.). Piedra cuadrada para moler el maíz.

[10] *«No se puede repicar...»* No se pueden hacer al mismo tiempo dos cosas enteramente distintas.

[11] *Paolo Veronese* (1528-1588). Pintor italiano de la escuela veneciana. Cfr. por ejemplo, su lienzo *Las bodas de Caná*.

[12] *Diego Rivera* (1886-1957). Pintor muralista mexicano.

[13] *guajolote* (mex.), pavo.

bandeja blanca y azul de fábrica poblana[14] por aquellos brazos redondos, color de cacao, de una inmensa Ceres indígena, sobre un festín silvestre de guerrilleros que lucen sombrero faldón y cinturones de balas! De menos se han hecho los mitos. El mole de guajolote se ha de comer con regocijo espumoso, y unos buenos tragos de vivo sol hacen falta para disolverlo. El hombre que ha comulgado con el guajolote —totem sagrado de las tribus— es más valiente en el amor y en la guerra, y está dispuesto a bien morir como mandan todas las religiones y todas las filosofías. El gayo pringajo del mole sobre la blusa blanca tiene ya un pregusto de sangre, y los falsos y pantagruélicos bigotes del que ha apurado a grandes bocados la tortilla empapada en la salsa ilustre, le rasgan la boca en una como risa ritual, máscara de grande farsa feroz.

Y he aquí que hemos trepado del diminutivo al aumentativo por la escala de una misma sensibilidad, porque es una misma la fuerza que hace vibrar los átomos y los mundos. Y esta audacia ciclópea que es el mole de guajolote —resumen de una civilización musculosa como las de Egipto y Babilonia— surge de una manipulación delicada, minuciosa, chiquita. Manos monjiles aderezan esta fiesta casi pagana. «Entre los pucheros anda el Señor» —dice Santa Teresa, y las monjitas preparan el mole con la misma unción que dan a sus rezos.

Por curiosidad y, aunque no sea el mole clásico, quiero trasladar aquí esta fórmula tomada de las *Recetas prácticas para la señora de la casa, sobre cocina, repostería, pastelería, nevería*, etc., *recopiladas por algunas socias de la Conferencia de la Santísima Trinidad para sostenimiento de su Hospital*, piadoso libro publicado hará casi un siglo en Guadalajara de México. Atención a los primores del diminutivo, el expreso y el tácito:

---

[14] *poblana*, de Puebla, México.

Guajolote en mole poblano

A guajolote, cuarenta chiles pasillas tostados y re-
mojados, cuatro piezas de pan y unas tortillas tostadas en manteca, dos cuarterones de chocolate, *una
poca* de semilla de chile[15] tostada; de todas especias,
poquitas; y ajonjolí, también tostado; todo esto bien
molido se deslíe en agua y se fríe en manteca; se
acaba de sazonar con *un* polvo de canela, *tantito* vi-
nagre y un *terroncito* de azúcar. Estando sazonado,
se le agrega el guajolote, hecho cuartos.

Para llegar al mole de reglamento, ya se ve, nos
está faltando la almendra; y ya el chocolate es adi-
tamento de lujo. Pero aquí la iniciativa y el temperamento personal tienen su parte, que es la función del
libre albedrío dentro de las normas del destino. Hay
recetas que traen nuez moscada, pepitas de calabaza,
chile ancho, clavo, un diente de ajo, cebolla desfle-
mada, perejil molido, comino, pimienta, cacahuates,
rebanadas de naranja agria, laurel, tomillo, y hasta
ciruelas y perones, y algún cuartillo de Jerez (las co-
cineras mexicanas dicen siempre: «Vino-Jerez»); porque el pavo se ha de servir entre un resplandor cam-
biante de aromas y sabores, como otra nueva cola
tornasolada a cambio de la que ha perdido en el
trance.

Pero quien quiera la descripción más cabal, «sensible» y graciosa del mole de guajolote, lea la página
del colonialista don Artemio de Valle-Arizpe[16], hombre de aguda pluma y de fino paladar, quien nos
hace asistir a la génesis del portento, preparado por
Sor Andrea en el Convento de Santa Rosa, Puebla
de los Ángeles[17].

---

[15] *chile*, pimiento, generalmente picante.
[16] *Artemio de Valle-Arizpe* (1884-1961). Novelista, cuentista
y cronista moderno del México colonial.
[17] *Puebla de los Ángeles.* La misma ciudad conocida como
Puebla, simplemente.

La cocina inspira al pintor. Recordemos los bodegones flamencos, con sus tajadas de carne y las «mal formadas verrugas» de las toronjas, que decía Lope —hijas, aquéllas, de los pinceles de Rubens, y éstas, de los pinceles de Snyders[18]. ¡Pronto, Diego[19], que la india ha vuelto ya del mercado, y derrama sobre la mesa la abigarrada cosecha del «recaudo»[20], en yerbas y en verduras, y todo el paraíso recobrado de las cosas frutales! El guajolote, pardo, blanco y rojo, yace como una monarquía derrumbada. Empieza la tarea, y adelantan en formación de ataque los tarros de especias... ¡Ay, si las especias cantaran, qué cosas cantarían! ¡Mal año, entonces, para don Luis de Córdoba, abuelo natural del churrigueresco mexicano[21]!

Memorias de cocina y bodega, 1953.

---

[18] *Frans Snyders* (1579-1657). Pintor flamenco, autor de magníficos cuadros de caza y bodegones.

[19] *Diego.* Diego Rivera.

[20] *Recaudo*, (mex.). Cantidad recogida (de legumbres surtidas).

[21] *el churrigueresco...* El estilo arquitectónico y escultórico barroco por excelencia, exuberante y complicado, que toma su nombre del arquitecto español José Churriguera (1665-1723), y luego se desarrolla con especial vigor en México.

TRES «BURLAS VERAS»
SOR JUANA

La Nueva España del siglo xvii dio dos grandes nombres a las letras: el comediógrafo Juan Ruiz de Alarcón y Mendoza, harto conocido por estar incorporado a la historia de la comedia española, y la llamada Décima Musa Mexicana, Sor Juana Inés de la Cruz, que puede considerarse, al menos, como el nombre más importante de las letras hispánicas durante el reinado de Carlos II. Su figura tiene cierta actualidad a la vez social y humanística, pues mientras por una parte se estudia activamente su obra —y hasta el alcance de su misticismo— en el mundo sabio, lo mismo en México que en los Estados Unidos o en Alemania, por otra parte puede considerársela a justo título como precursora del feminismo americano, en cuanto ella significa una rebeldía contra el estado de ignorancia que afligía generalmente a la mujer en nuestras viejas sociedades coloniales.

En su vida se aprecia una evolución desde lo mundano y cortesano hasta la más pura caridad. Su carácter propio resalta si se la compara con otro gran nombre femenino de las letras hispánicas, más excelso sin duda: el de Santa Teresa. En su vida se pueden señalar cuatro etapas: 1), la infancia, en que descuellan la precocidad casi anormal de Juana de Asbaje[1] y su esfuerzo de autodidactismo, su desordenado afán

---

[1] *Juana de Asbaje.* El nombre original de Sor Juana antes de profesar como religiosa.

de saber, allá en su humilde pueblecito nativo; 2), su segunda infancia y su adolescencia en México, donde pronto alcanza un saber que confunde a las academias de doctos; donde su fama hace de ella una celebridad cortesana y le atrae las importunidades de los galanteadores en la fastuosa corte virreinal, lo que la decide a entrar al claustro, para salvar su vocación de estudiosa; 3), su vida de estudiosa en el convento, y la lucha entre la vocación puramente literaria y la vocación religiosa; 4), la última etapa, en que Sor Juana sacrifica todo a la caridad, incluso sus libros y sus aficiones personales, y muere curando a sus hermanas, contaminada de una epidemia que asolaba a la población.

Con las propias palabras de la monja, que mucho escribió sobre sí misma, y con ayuda de otros testimonios contemporáneos, se puede seguir el sesgo de esta evolución, marcando su relieve distintivo en cada una de las etapas. Lo más notable en esta vida es el afán casi heroico con que luchaba por llegar al pleno conocimiento de las cosas divinas y humanas. Fue fecunda y elegante poetisa, erudita y sensible a un tiempo, contaminada —como era de esperar en su época— de conceptismo[2] y de gongorismo[3]. Es autora de aquellas célebres redondillas[4]:

> Hombres necios que acusáis
> a la mujer sin razón,
> sin ver que sois la ocasión
> de lo mismo que culpáis:...

---

[2] *conceptismo*, tendencia estilística de prosa y poesía barrocas, al sutil juego e ingeniosidad de los conceptos o ideas.

[3] *gongorismo*, tendencia al estilo esplendoroso, rico en imágenes y alusiones mitológicas, creado por el poeta barroco español Luis de Góngora, y también llamado *cultismo* o *culteranismo* por su uso de lenguaje culto o superrefinado.

[4] *redondilla*, estrofa de cuatro versos octosílabos o menores, con rimas consonantes, *abab* o *abba*.

¿Pues para qué os espantáis
de la culpa que tenéis?
Queredlas cual las hacéis
o hacedlas cual las buscáis.

Noviembre de 1954 *(Las burlas veras: primer ciento*, 1957).

ALARCÓN

El otro día recordábamos a Sor Juana. Ella y Ruiz de Alarcón son los dos famosos Juanes de México. Alarcón nació a fines del siglo XVI, de familia ilustre, pero no rica. Pasó su vida de estudiante entre México, España y otra vez en México, donde al cabo se graduó en leyes. Regresó definitivamente a España, fue «pretendiente en Corte» y tuvo que esperar poco más de diez años para lograr el cargo de relator en el Consejo de Indias.

Entre tanto —virtuosos afectos de la necesidad, según él decía— se puso a escribir comedias. La suerte y hasta su desgracia física le estorbaban: era corcovado de pecho y espalda, pequeñín y muy poco airoso. No se arredraba y, desde la escena, contestaba las mofas de los desenfadados ingenios de Madrid con sentencias de corte clásico.

Fue amigo de Tirso de Molina, con quien colaboró algunas veces. Con Lope de Vega no acabó nunca de amistarse. Tuvo éxito ante el público y ante la Corte, pero, entre sus compañeros de letras, su jactancia de noble indiano y su figura contrahecha le atrajeron sangrientas burlas. Aun su extremada cortesía de mexicano, de provinciano señorial, parecían dar una nota discordante en aquel bullicioso mundo. No digamos aquel su tono mesurado, característico de su teatro. En la casa de la locura, era un revolucionario de la razón. Hace falta mucha bravura para asumir esta actitud. Hay el riesgo de quedarse solo.

Aunque escribió algunos medianos versos de ocasión, no aspiraba al lauro lírico. Su obra está en el teatro. Las comedias de Alarcón se adelantan en cierto modo a su tiempo. Salvando fronteras, influye con *La verdad sospechosa* —la más popular y aplaudida de sus obras— en el teatro de Corneille, que la parafrasea en *Le menteur;* y a través de esta pieza de Corneille, influye también en Moliere. En España, aunque autor muy celebrado y famoso, no puede decirse que haya dejado tradición. Parece la suya una voz en tono menor, en sordina. Los demás dramaturgos, del gran Lope abajo, descuellan por la invención abundante y la fuerza lírica, aunque reduzcan a veces el tratamiento psicológico de sus personajes a la mecánica elemental del honor o a las conveniencias de la intriga o «enredo». Pero Alarcón aparece más bien preocupado por los verdaderos problemas de la conducta, menos inventivo si se quiere, mucho menos lírico; y crea la comedia de costumbres.

Su diálogo alcanza una perfección no igualada; sus personajes no suelen cantar, no son «héroes», en el sentido romántico; no vuelan nunca. Hablan siempre, son hombres de este mundo, pisan la tierra. (Al menos, en las más alarconianas de las comedias, pues por riqueza de oficio era capaz de hacer otras cosas). Así se ha dicho que Alarcón es el más «moderno» de los dramáticos del Siglo de Oro, y anuncia de alguna manera a los «reformadores del gusto» que florecerán en los años de Setecientos, un siglo después. En su teatro no hay altas situaciones trágicas, sino casi siempre discusiones apacibles en torno a problemas morales tan discretos y poco ambiciosos que más de una vez se resuelven en casos de mera urbanidad.

El talento de observación, la serenidad íntima de ciertas conversaciones, el toque nunca exagerado para definir los caracteres, la prédica de la bondad, la fe en la razón como norma única de la conducta, el respeto a las categorías en todos los órdenes de la vida y del pensamiento: tales son sus cualidades salientes. Sus personajes son unos amables vecinos con quienes daría gusto charlar un rato por la noche, en el interior reposado, o a la puesta del sol, desde una galería abierta sobre el Manzanares.

Todo esto quiere decir que Alarcón se apartaba un poco —un poco nada más, porque él nunca fue extremoso— de las normas que Lope había impuesto al teatro de su tiempo. Donde todos eran improvisadores, él era lento, paciente, de mucha conciencia artística; donde todos salían del paso a fuerza de ingenio y aun dejando todo a medio hacer, Alarcón procuraba ceñirse a las necesidades internas de su asunto, y no daba paz a la mano hasta lograr esa ternura maravillosa que hace de sus versos —aunque no líricos o musicales— un deleite del entendimiento y un ejemplo de cabal estructura. Donde algunos escribían comedias a millares, Alarcón apenas escribió dos docenas.

En cuanto obtuvo el cargo que pretendía, desapareció de la vida literaria y se alejó filosóficamente del «gallinero de las Musas». Según dijo cierto viajero italiano, Alarcón, consagrado ya del todo a los negocios de Indias, olvidaba la ambrosía por el chocolate, la literatura por los deberes oficiales de su despacho. Cuando murió tenía ya coche y servidumbre, y acaso era relativamente feliz, aunque con la melancolía propia de las renunciaciones. Cierto memorialista de la época le consagró como epitafio estas palabras equívocas: «Murió Alarcón, célebre por sus comedias como por sus corcovas». Hoy podemos decir que fue la primera voz universal brotada entre nosotros y que con él, por vez primera, México toma la palabra ante el mundo, rompiendo al fin las duras aduanas coloniales.

Enero de 1955 (*Las burlas veras: primer ciento*, 1957).

DE TURISMO EN LA TIERRA

Yo caí muerto en 1951 con un grave infarto en la coronaria. Fui internado en el Instituto Nacional de Cardiología, cuyos elogios había ya cantado siete años antes, sin sospechar que alguna vez probaría yo por mí mismo sus excelencias. Me salvó el saber de don Ignacio Chávez[1], y también —estoy cierto de ello— me salvaron el amistoso ardor y la firme voluntad que puso —nuevo Héracles—[2] en arrancarme a los brazos de la muerte. A su lado, me velaba de cerca el inolvidable doctor Esclavissat, joven interno para quien estoy seguro de haber sido algo más que un simple paciente. Ahora vivo disfrutando de unos últimos años obtenidos por benevolencia.

Pues allá, en el «trasmundo», yo sé bien cómo sucedieron las cosas. Los médicos me administraban hipnóticos. En mis sueños, se revolvían las imágenes de la poesía gongorina, a cuyo estudio estaba yo consagrado por los días en que caí enfermo. De modo que todo era pluma, miel, cristal, oro, nieve, mármol, armonías en blanco y rojo. El doctor Chávez solía decir humorísticamente a quien le pedía nuevas de mi salud: «No puedo saber cómo se encuentra. Cuando le interrogo, me contesta recitándome pasajes de Góngora.»

---

[1] *Ignacio Chávez*. Cardiólogo-humanista mexicano, fundador del Instituto Nacional de Cardiología en México y amigo de Alfonso Reyes. También ha sido rector de la Universidad Nacional de México.

[2] *Héracles*. Otro nombre de Hércules.

Pero, en uno de mis sueños, me vi transportado al cielo —adonde sin duda alguna he de ir a parar, que sobre esto no hay discusión—, y he aquí la escena que presencié:

San Pedro abría ya su libro de registro para darme entrada —el Libro Diario—, cuando cierto arcángel con letras se asomó sobre su hombro y le dijo:

Creo que este pobre señor tenía una obra a medio escribir.

—¿Qué haremos? —dijo el viejo bonachón rascándose la cabeza con la pluma y, requiriendo arenilla y agua de huizache [3], extendió un documento azul.

—¿Y eso? —le preguntó el arcángel.

—Eso es que le prorrogamos su permiso de turismo en la Tierra.

Y yo, que entiendo de estas cosas, me he inspirado, desde entonces, en el ejemplo de cierto millonario siriolibanés que vivía en Río de Janeiro. Yo admiraba siempre, al pasar por la avenida Oswaldo Cruz, unos estupendos jardines, dignos de un rajá oriental. Pero en aquellos jardines se alzaba una casa que parecía un enorme pastel confitado, llena de columnitas salomónicas, cúpulas, requilorios, adornos y adornajos. Y un constante ir y venir de albañiles daba idea de lo que pudo ser la construcción de las pirámides egipcias, del Templo Mormónico de Lago Salado, de Chicomostoc en Zacatecas. Ya no sabían qué hacerle a aquella casa, pero cada día le añadían algo. Pedí explicaciones:

—¡Ah! —me dijo mi fino amigo Sócrates Barboza—. Es la casa del siriolibanés. Una vieja cartomántica le auguró que moriría en cuanto acabara su construcción. Por eso no la acaba nunca y todos los días le aumenta un pedazo.

Y ahora, pacientes amigos, ¿se explican ustedes

---

[3] *huizache* (agua de): Tinta (hecha de la semilla de cierto árbol mexicano.)

por qué yo siempre traigo otro libro a medio escribir y procuro no darle término sin haber antes comenzado el siguiente?

Septiembre de 1954 *(Las burlas veras: primer ciento*, 1957).

ALEJANDRO DE HUMBOLDT
(1769-1859)

Una que otra vez la historia se complace en crear combinaciones estéticas que parecen imaginadas por la poesía. Las personas y los hechos —encarnación del drama humano— se acercan entonces y organizan como las figuras de un gracioso *ballet*. Fue aquélla la hora de los Dioscuros, de los Dioses Gemelos[1]. Aún no se desvanecía en el cielo de Weimar[2] la constelación de Goethe y Schiller[3], y ya asomaban los dos Schlegel[4], vanguardia del romanticismo alemán; y muy luego —en tanto que aparecían Jacobo y Guillermo Grimm[5], harto conocidos aunque sólo fuere por sus colecciones folklóricas— la pareja de los hermanos Humboldt: Carlos Guillermo[6], el estadista y filólogo, llamado a fundar la Universidad de Berlín, y Alejandro, el gran demiurgo de la ciencia y del humanismo cuyo recuerdo revive ahora con el centenario de su muerte.

---

[1] *Dioscuros*. Deidades griegas, hijos de Júpiter, nombrados Cástor y Pólux.

[2] *Weimar*. Ciudad de Alemania, en cuya Corte vivieron Goethe y Schiller.

[3] *Friedrich von Schiller* (1759-1805). Dramaturgo trágico alemán, amigo y admirador de Goethe.

[4] *Wilhelm y Friedrich von Schlegel* (1767-1845, 1772-1829). Hermanos poetas y críticos alemanes.

[5] *Jacob y Wilhelm Grimm* (1785-1863, 1786-1859). Hermanos eruditos alemanes, recogedores de cuentos de hadas.

[6] *Carlos Guillermo*. Forma hispánica del nombre de *Karl Wilhelm von Humboldt* (1767-1835), hermano de Alexander von Humboldt.

El barón de Humboldt comienza pues su «viaje terrestre» como al amparo de un mito adornado con los encantos artísticos de un poema. Es mucha la tentación de imaginar que un mismo numen, desde la frente del poeta del *Fausto* y repartido en efluvios y emanaciones, se desplegaba en estrellas dobles para mejor abarcar la imagen del mundo. Si, como se ha dicho, Goethe ha viajado por España en la persona de Guillermo de Humboldt, digamos que también viajó por América en la persona de Alejandro, a quien había conocido de niño y de cuya residencia campestre se acuerda en su drama al evocar una conseja local (los duendes de Tegel). Si Goethe fijó en el muro de su cuarto un mapa de la península ibérica para seguir las jornadas de Guillermo de Humboldt, también —y siempre conforme a su método de esquemas y representaciones visuales que lo llevó un día a dibujar la *Urpflanze* o noción platónica del vegetal— trazó por sí mismo y para su propio deleite un diseño de las montañas de Europa y América, marcando las líneas de las nieves perpetuas, a fin de seguir más de cerca el *Viaje equinoccial* de Alejandro. Es sabido que tanto Goethe como Alejandro —buen dibujante por su parte, según lo prueba su autorretrato, y cuya comprensión de las artes sólo falló ante los enigmas de la música— solían repetir que un rato de conversación entre ambos les enseñaba más que muchas horas de estudio, por lo mismo que sus respectivas naturalezas se fomentaban y reconocían entre sí. El día en que Goethe recibía carta de Alejandro era para Goethe un día de fiesta; y cuando la suerte le concedía retener a su amigo en Weimar, aunque fuera por breve tiempo, rumiaba después su buen humor a lo largo de un mes entero. Casi todo une a Goethe y a Alejandro de Humboldt y casi nada los separa: los dos discurren por aquella zona de salud mental y moral donde se conciertan la curiosidad científica y el insaciable apetito de los intereses humanos. A Alejandro debió Goethe cuanto llegó a averiguar sobre Colombia, Cuba, o sobre el posible canal de Panamá. Alejandro a su vez declaraba que las ideas de Goethe sobre la naturaleza parecían elevarlo y «dotarlo de nuevos órganos» para percibir el universo; y él mismo —propia proyección de Goethe hacia nuestra América— nos aparece de pronto a manera de un «Wilhelm Meister»[7] (ese otro «Fausto», cuando de pie en la proa del barco que lo trae hasta nuestras playas cruza los brazos y, lleno de confianza en América, contempla los horizontes que se van abriendo ante sus ojos y ve ascender esa promisoria Cruz del Sur[8], adivinada por los poetas y filósofos de la Antigüedad y la Edad Media y presentida en los sueños teologales de Dante, y que cintila en los versos de Ercilla[9] y de nuestro Balbuena[10], tras de ofrecerse, como en el soneto de *Los trofeos*[11], al asombro de los Descubridores.

Se fraguaba la era moderna entre exorbitancias y vaivenes de liberalismo y absolutismo, que tal parece ser la ley de la historia. Acontecen vertiginosas mudanzas en las modas como en las técnicas. Entronizado por la Ilustración (atmósfera juvenil de los Humboldt), el espíritu racional —a través de la Revolución Francesa, las independencias americanas y otras muchas vicisitudes— se encamina

---

[7] *Wilhelm Meister*. Protagonista de una obra de Goethe así titulada.

[8] *Cruz del Sur*. Constelación visible en el hemisferio sur.

[9] *Alonso de Ercilla y Zúñiga* (1534-94). Autor de *La Araucana*, poema épico que canta las luchas de los españoles con los indios araucanos en Chile.

[10] *Bernardo de Balbuena* (c. 1561-1627). Autor del poema barroco *La grandeza mexicana*, que exalta las bellezas del México colonial.

[11] *Los trofeos (Les trophées)*. Libro de poesías del poeta francés de origen cubano José-María de Heredia (1842-1905). El soneto aquí aludido se titula «Los conquistadores».

atropelladamente hacia las febriles audacias del romanticismo. Rebullen nuevas inquietudes sociales; el comunismo empieza a sonar sus clarines. Tal es el siglo que cubre la larga vida de Alejandro.

Los hermanos Humboldt se formaban bajo la tutela de ayos profesionales que entonces se llamaban «chambelanes domésticos». Campe, adaptador del *Robinsón* [12], que después ensancharía su campo pedagógico desde el Ministerio de Berlín, conducía a los hermanos Humboldt de tal suerte que, al sentir de un biógrafo, nunca llegaron a advertir la diferencia entre el estudio y el juego; lo que nos parece algo dudoso, pues Alejandro se refirió siempre a Campe con cierta sorna. Y el propio biógrafo nos asegura que, poco después, el joven Kunth [13], el que al cabo cuidaría el patrimonio de la familia, acercaba su enseñanza cuanto era posible a la naturalidad de la vida; aunque para apreciar su verdadera influencia sobre los educandos habrá que esperar la publicación del diario inédito de Guillermo, quien alguna vez manifestó que Kunth lo había obligado a vivir una infancia casi femenina. Y si esto pensaba Guillermo, «el niño bueno», ¿qué no pensaría el otro, «el niño malo»?

Pues Alejandro no demostraba la deslumbrante precocidad ni la dulzura de su hermano mayor y, al contrario, parece haber sido lo que en el lenguaje casero de mi niñez se llamaba «un muchacho arreado». El estudio de la historia, por ejemplo, le hacía suspirar por los días de Adán, cuando aún no existía la historia. Pero pronto se sintió atraído por el mar, tentación constante de los hijos de Ulises, los exploradores condenados a sonar en las lejanías. Pronto se sintió también inclinado al estudio de la naturaleza,

---

[12] *Joachim Campe* (1746-1818). Lexicógrafo y educador alemán conocido por sus obras para los jóvenes, inclusive su adaptación del *Robinson Crusoe* de Daniel Defoe.

[13] *G. J. C. Kunth* (1757-1829). Preceptor (como Campe) de los Humboldt.

y hasta se diría que la botánica —aún bajo el tremendo fardo de las clasificaciones de Lineo— [14] lo inspiró desde sus primeros pasos, a modo de Musa que también hacía de niñera. Los vecinos solían llamarlo «el chico boticario». «La imagen de las plantas exóticas —ha confesado él mismo—, aun desecadas en los herbarios, inflamaban mi imaginación». Tegel, el nido de los Humboldt, se extendía a poca distancia de Berlín y de la residencia de Federido el Grande en Potsdam, entre pinares, viñas, moreras, y ofrecía a los amigos de la casa el atractivo de las cacerías de patos y ciervos. Aquel ambiente un tanto cuanto paradisíaco, la vegetación, las flores, las cascadas, los pájaros, saciaban la vitalidad naciente de Alejandro y su incontenible ansia de contento, en que no sabían acompañarlo ni su madre ni sus tutores.

Al fin, hacia los dieciséis años rompió la mariposa el capullo, y Alejandro comenzó a sacudir la influencia de aquel «castillo de aburrimiento» —no los parques seguramente, sino el severo interior de la familia—, que dicen sus cartas dirigidas a la joven esposa de su maestro Herz. La economía —recién promovida a la dignidad de ciencia verdadera—, la física —contando los ensayos eléctricos de Franklin y Volta, inesperados en el ambiente timorato de Tegel—, el comercio, la minería, las antigüedades, la historia ya entendida con mayor generosidad, y cuanto puede considerarse en suma como el mueble de la morada humana, solicitaban su atención durante sus años universitarios, sus distintos viajes por Europa, sus permanencias en Berlín, Francfort, Guetinga [15], en Hamburgo y en Freiburg. En Gue-

---

[14] *Lineo (o Carlos de Linneo)*. Formas hispánicas del nombre del botánico sueco, también conocido como Linnaeus o Carl von Linné (1707-78).

[15] *Guetinga (Goettingen)*. Ciudad alemana distinguida como centro universitario y cultural.

tinga, Humboldt se encontró con Georg Forster, compañero de Cook [16], que acabaría de orientar su vocación. Empleado luego de la Administración de Minas, trabaja concienzudamente en Franconia y rechaza algún ascenso burocrático, porque entiende que lo está esperando ya su gran destino de viajero, de viajero según la gran escuela de Cook, Bougainville [17] y la Condamine [18], pero que poseyese a la vez algunos chispazos de ciencia a lo Buffon [19], de sensibilidad a lo Rousseau y a lo Bernardin de Saint-Pierre [20]. (Aunque es verdad que Humboldt se esforzará siempre por frenar su Pegaso [21] y que sus futuros relatos nunca abandonarán el paso medido y cierto decoro impersonal). Muerto hacía mucho su padre, con quien Alejandro tal vez se hubiera avenido fácilmente, muerta ahora aquella dama de origen borgoñón y hugonote que fue su madre —dama algo fría e insípida, si bien intachable, y que se apellidaba Colomb, pintoresca coincidencia en quien había de concebir a este nuevo descubridor de América—, nada puede ya detenerlo. Pues sólo el respeto filial lo había hecho aplazar la realización de sus sueños, que su bienaventurada independencia económica haría posibles. Le hostiga el afán de salir de Europa —ansia infantil de escapatoria represa— y cuanto antes desembocar en el vasto mundo. De él se ha dicho con justicia: —No tenía más remedio que ser universal o morirse de melancolía. Y hay,

---

[16] *James Cook* (1728-1779). Explorador inglés.

[17] *Louis-Antoine de Bougainville* (1729-1811). Navegante francés.

[18] *Charles-Marie de La Condamine* (1701-1774). Científico francés.

[19] *Georges-Louis L. de Buffon* (1707-88). Naturalista francés.

[20] *Bernardin de Saint-Pierre* (1737-1814). Novelista sentimental francés, autor de *Paul et Virginie*, imbuido como Rousseau del amor a la naturaleza.

[21] *Pegaso.* Caballo alado de la mitología griega. Perseo, montado en Pegaso, fue a libertar a Andrómeda, expuesta al furor de un monstruo marino.

en efecto, hombres de tal suerte estructurados que no soportan el confinamiento en un solo rincón del orbe o de la inteligencia. Quiere ir a Egipto, al Cercano Oriente, adonde fuere; quiere «viajar como cosa en sí», y espera en sus contactos con otros países, encauzar acaso sus indefinidas inquietudes. La pasión por los viajes es, por lo demás, característica de su época. A ojos de Humboldt —según él mismo lo ha confesado— aun las columnas de números parecían ejércitos de piratas que desembarcaban en las playas exóticas.

Se suceden los proyectos y los fracasos. Pero he aquí que, hallándose en España, se logró de pronto lo que parecía casi imposible: el Ministro Mariano Luis de Urquijo obtuvo para Humboldt y su compañero Bonpland[22] el permiso de visitar la América Española, coto cerrado hasta cierto punto. Los dos salieron de La Coruña el 5 de junio de 1799. Tras de visitar Sudamérica y Cuba durante varios años, desembarcaron en Acapulco el 22 de marzo de 1803. Humboldt, Bonpland y Montúfar[23] establecieron en la ciudad de México su cuartel general, y aquí se encontraron con Andrés Manuel del Río[24], condiscípulo de Humboldt en Freiburg y ahora profesor en el Real Seminario de Minas, y con el astrónomo y naturalista Antonio Alzate. Alejandro contemplaba la que no pudo menos de llamar «Ciudad de los Palacios», con arrobamiento semejante al de ios Conquistadores cuando por primera vez se asomaron al valle de Anáhuac y a la ciudad de Tenochtitlan. El 7 de marzo, tras un recorrido fructuosísimo por varias regiones mexicanas, embarcó de nuevo rumbo a Cuba y —cometa de buen agüero— siguió su órbita

---

[22] *Aimé Bonpland* (1773-1858). Médico y naturalista francés.
[23] *Carlos Montúfar*. Patriota ecuatoriano (muerto en 1816) y amigo de Humboldt, a quien acompañó del Ecuador a México y hasta Estados Unidos y Europa.
[24] *A. M. del Río* (1765-1849). Naturalista español.

hacia los Estados Unidos y llegó a Burdeos el mes de agosto.

Así sucedió que Alejandro cubriese durante cinco años unas nueve mil leguas por los territorios del Nuevo Mundo —en total, seis países: Ecuador, Venezuela, Colombia, Perú, Cuba y México— y fundara, como resultado, las bases de nuestra geografía moderna, nuestra geología y nuestra filosofía social.

Verdad estricta o aproximada, al sacar el saldo de sus experiencias por América olvida miserias y contratiempos, se confiesa francamente dichoso y afirma en una carta privada: «La travesía desde Filadelfia ha sido extraordinariamente feliz. Salí de México en febrero, y de la Habana fui a América del Norte, donde el Presidente de la Federación, Jefferson, me colmó de honores. No he estado nunca enfermo y me siento mejor, más fuerte, más laborioso y aun más alegre que nunca». Lo que no era poco decir si atendemos a la descripción que nos ha dejado de su carácter Carolina, la esposa de su hermano Guillermo. De modo que Humboldt ni siquiera quiso acordarse de la tifoidea en Angostura [25] (Ciudad Bolívar), de que volvió a Europa con las señales de la viruela contraída en Cartagena de Indias [26], y el brazo derecho medio paralizado por las humedades del Orinoco. Los resultados de sus experiencias americanas parecen no caber materialmente en el tiempo que consagró a sus viajes. El relato de ellas va a llenar su vida por algo más de veintisiete años, primer tercio del pasado siglo. De manera que lo mejor de su genio nos pertenece.

Abreviemos: no nos incumbe aquí trazar una biografía puntual de Humboldt. Además, su vida ul-

---

[25] *Angostura* (hoy *Ciudad Bolívar*). Ciudad venezolana del bajo Orinoco.
[26] *Cartagena (de Indias)*. Puerto de Colombia, en el Mar Caribe.

terior en Europa desborda nuestro asunto. Ya Humboldt atrae la atención de todo el mundo civilizado. Pasa varios años en París, emprende otros viajes, y al fin va a morir en su tierra. Deja —a costa ya de sacrificios y deudas, pues los tiempos habían cambiado— una vastísima obra que las autoridades dividen en tres partes: 1), la obra menor, miscelánea que va desde los tejidos de los griegos hasta la irritabilidad nerviosa y muscular; 2), la obra de generalización y resumen: *Cuadros de la naturaleza, Cosmos* —la más difundida y celebrada en su tiempo—; y 3), las exploraciones y viajes científicos por América y Asia. La obra americana ha resistido mejor a las injurias del tiempo, y es lo que ha dado a Humboldt su renombre definitivo.

* * *

Pero ¿cuál ha sido la lección final, cuál el último aprovechamiento, cuál el tesoro que hemos recibido de las manos de Humboldt? Ante todo, el hábito y la capacidad de pensar con la plena respiración del alma, abrazando en círculos cada vez más anchos los fenómenos particulares —y aun cuando no haya sido un gran escritor en el sentido técnico de la palabra— a la vez que comunica a algunas de sus páginas cierta majestuosidad de poema cosmogónico, lo lleva a «la gran generalización en que se funda la geografía científica, a saber: que todos los hechos capitales de la vida vegetal, animal y humana hallan su principio unificador en un sistema de coherencias con el relieve del suelo en la vertical, y con la forma de la superficie terrestre, en la horizontal.»

Añádase que la tierra nunca fue a los ojos de Humboldt un amasijo de materia bruta y pasiva, sino que fue, ante todo, la mansión de la familia humana, y la relación entre el hombre y su reinado era su preocupación dominante. A tal extremo, que ha dejado por ahí un curiosísimo atisbo sobre la posible ciencia futura que hoy suele llamarse la geopsíquica y sobre la influencia del ambiente mineral en los habitantes de una zona determinada, atisbo discretísimo que casi se limita a confesar y a reconocer un misterio.

La misma flexibilidad que le permitió, desde muy joven, portarse como un mundano y a la vez como un estudioso, un «hombre de todas las horas» que decían los clásicos, un hombre de amena compañía y de grata conversación (aunque a Schiller le parecía vanidoso), un huésped capaz de brillar en los salones y un fácil compañero de viaje capaz de pernoctar en el campo, a cielo descubierto —esta misma condición singular había de permitirle recibir en línea desplegada todos los estímulos y mensajes de este mundo que nos rodea. Tiene ojos para los perfiles y arrugas de las montañas («las montañas le tendían las manos», según sus propias expresiones); se extasía ante los volcanes; repara en el curso de los ríos como quien descifra un mensaje; en la constitución del suelo y subsuelo; en la humilde piedrecita con que tropezamos al dar un paso; en el giro de los vientos, lazos inefables que envuelven de lejos unas y otras comarcas. Observa la marcha de las estrellas. Presencia una lluvia de meteoritos. Aprecia los mantos de petróleo. Tiene ojos para los desiertos y las frondas; para «el árbol de las manitas» de que sólo se conoce un ejemplar que estaba en Toluca [27] (e ignoro si alguna vez buscaron su rastro los historiadores locales); para aquellas maravillosas plantas y animales singularísimos que le hacían compadecer a los europeos, privados de semejantes lujos. Pero él, que aceptó las enseñanzas de la Revolución Francesa; que desde muy temprano se percató del injusto y disimulado recelo contra los judíos berlineses, con cuya frecuentación

[27] *Toluca*. Ciudad mexicana, capital del Estado de México (al oeste de México, D. F.).

tanto había aprendido, o que presenció el dolor de
los mineros en Franconia y hasta quiso poner la mano
en la lámpara de seguridad, y aun se expuso a morir
en los socavones llenos de gas mortífero; que más
tarde presenció los errores de las minas de Tasco[28],
también tiene ojos para los anhelos y el sufrimiento de los pueblos y los oprimidos, así como supo
admirar a cuantos soldados del adelanto social halló
en su camino. Algunos fueron harto humildes: el
«Humboldt indígena», Carlos del Piño, un guaiquire
que lo acompañó más de un año en sus andanzas por
Sudamérica; o Carlos del Pozo, el inventor de los
Llanos que acertaba a componer de propia minerva
máquinas eléctricas nunca vistas por él; o aquel filósofo zapatero de Araya[29] que, siendo castellano de
cepa, se veía en trance de usar arco y flechas para sus
cacerías, por el enrarecimiento de la pólvora debido
a las guerras de Europa y al temor de los ataques
marítimos de Inglaterra. Otros fueron hombres emi-
nentes, como tantos poetas, filósofos, sabios y esta-
distas que cita a lo largo de sus obras, con los cuales
colaboró o estudió algún día, tuvo algún trato según
consta por la correspondencia de sus contemporáneos,
y cuya sola enumeración llenaría páginas y páginas,
desde Napoleón hasta Thiers[30], pasando por Metternich[31], Lamarck[32], Víctor Hugo y Chateaubriand;
o bien como aquel predestinado que tenía por nombre
Simón Bolívar, con quien emprendería una ascensión
al Vesubio, en quien influyó seguramente —huéspe-

---

[28] *Tasco (o Taxco)*. Ciudad del Estado de Guerrero, México,
conocida por sus minas de plata, su ambiente colonial y su linda
iglesia barroca de Santa Prisca (siglo XVIII).

[29] *Araya*. Península de Venezuela.

[30] *Adolphe Thiers* (1797-1877). Estadista e historiador francés,
autor de una *Historia de la Revolución Francesa*.

[31] *Príncipe de Metternich* (1773-1859). Estadista y político
austríaco que presidió el Congreso de Viena.

[32] *Jean-Baptiste de Lamarck* (1744-1829). Naturalista francés.

des ambos del Chimborazo[33], hombres ambos para soñar y delirar en las cumbres— y de quien a su turno aprendió a enfrentarse con los inquietantes extremos de las sociedades americanas. Más de una vez se detiene —así en Macanao— para admirar a aquellos nativos que parecían estatuas broncíneas y lo invitaban a reflexionar, al modo de Montaigne[34] y Rousseau, en las virtudes del «buen salvaje». O bien se aflige ante la venta de esclavos y la postración de los indígenas; o se indigna al ver embarcar, en Acapulco[35], millones de pesos para las Filipinas y el Imperio Chino, mientras los habitantes del puerto se consumen en la enfermedad y en la penuria. Aun se adelantó a prever, con desazón no disimulada, ciertos futuros peligros, y de modo muy especial advertía ya que las poderosas poblaciones del Norte, salvando los límites de la Luisiana, llevarían tal vez sus avances hasta los territorios vecinos, «donde los colonos veían pasar, a lo lejos, más allá de las fogatas del comanche[36], el tropel de los bisontes que recorrían las ilimitadas praderas». Se interesaba tanto por los monumentos arqueológicos o por el aspecto de las poblaciones y aldeas como por su formación y su cultura —que muchas veces, fuera del lenguaje antropológico, más bien llamaremos su incultura. Buscaba con paciencia de miniaturista aquella gotita de sangre brotada en el campo mexicano, la cochinilla, que ya antes había interesado al botánico francés Thiery de Menonville, el horticultor de Santo Domingo, y que

---

[33] *Chimborazo*. Antiguo volcán de los Andes, en el Ecuador. (Véase *Mi delirio sobre el Chimborazo*, de Bolívar.)

[34] *Michel de Montaigne* (1533-1592). Ensayista francés, que dio el nombre de *essai* (ensayo) a este género literario.

[35] *Acapulco*. Puerto mexicano del Pacífico, hoy gran sitio de veraneo turístico, en el estado de Guerrero.

[36] *comanches*. Indios de la América del Norte, nómadas bastante guerreros, que anduvieron desde Wyoming hasta Texas y México.

sirvió para teñir el primer pabellón de la Convención Francesa y el uniforme del Primer Cónsul [37]. Pero, a la vez, según la inolvidable escena cuya borrosa imagen recogerá un día Madama Calderón de la Barca [38], Humboldt se detiene, suspenso, ante la hermosa criatura rubia —nuestra Venus Colonial, «la Güera Rodríguez»— [39] que ha de acompañarlo por la nopalera en busca de la cochinilla.

Hay que advertir todavía que Humboldt mantiene un delicado equilibrio entre el aficionado universal y el hombre de técnicas limitadas. Conoce las herramientas del sabio, pero emplea de preferencia el cordón de oro de las altas síntesis mentales. No es un administrador, sino un emperador del conocimiento. Es filósofo a la manera del griego, que viaja para aprender y consulta siempre el panorama de los pueblos y las costumbres. Es científico a la manera de los enciclopeditas, que ya empezaban a desaparecer. Es presa de aquella embriaguez intelectual de su siglo, aún no canalizada del todo, y que ostentaba aún las gracias juveniles y las sugestivas inexperiencias del diletantismo.

Hay más: en Humboldt se disfruta el espectáculo confortable de la ciencia que no ha roto con las más nobles esperanzas humanas, armonía que hoy vamos perdiendo para nuestro mal y que bueno fuera recordar si es que hemos de sobrevivir. Una clara pluma periodística ha escrito sobre él recientemente que era un humanista a caballo. Sí, el sabio en marcha por

---

[37] *Primer Cónsul.* Napoleón Bonaparte.

[38] *Madama Calderón de la Barca.* Frances («Fanny») Erskine Inglis (1804-1882), Marquesa de Calderón de la Barca, escocesa, casada con don Angel Calderón de la Barca, primer ministro plenipotenciario de España en México: en *La vida en México* (1843) presenta sus impresiones de dos años de residencia en ese país.

[39] *«La Güera Rodríguez».* Apodo de María Ignacia Rodríguez (de Elizalde), nacida en 1778: mujer mexicana famosa por su belleza e inteligencia.

13

entre los hombres, las montañas y los caminos, el sabio que no ha dejado de ser el hermano de sus semejantes. Él representa para nosotros un ejemplo de la ciencia casta, la ciencia al servicio del bien, no obligada todavía a convertirse en la hembra de los ejércitos.

No podemos olvidar, por último, que Humboldt entregó la parte principal de su vida y sus trabajos a nuestra América, y centró en México su visión del orbe hispanoamericano. Aquí quería fundar un instituto científico para todas nuestras repúblicas. Desde los días de la Santa Alianza, vio venir sin miedo las independencias americanas. «Tengo la idea —escribe a un amigo— de acabar mis días de modo más agradable y útil para las ciencias, en aquella parte del mundo donde soy extraordinariamente querido y donde todo parece prometerme una existencia feliz.» Y poco después: «En México, el Gobierno republicano federal marcha de un modo excelente. Mi amigo íntimo, el señor Alamán [40], es el jefe del Ministerio. El Ejecutivo me ha enviado una preciosa carta de gratitud...» Un día Comonfort [41] le otorgó la Gran Cruz de la Orden de Guadalupe; años más tarde, Benito Juárez lo consagró con el título de «Benemérito de la Patria». No vino a morir entre nosotros, pero nos ha dejado su herencia. El *Ensayo político sobre la Nueva España* es base de nuestra literatura sociológica, obra de popularización única en su tiempo, indispensable para quien desee entender a nuestros países; y es inexplicable que España parezca haber olvidado por algún tiempo este documento expresivo y fehaciente de su propia reivindicación histórica. Como se sabe, sin este libro no hubieran podido es-

---

[40] *Lucas Alamán* (1792-1853). Historiador y político mexicano, varias veces ministro de Relaciones exteriores; autor de una *Historia de México...* (1852).

[41] *Ignacio Comonfort* (1812-1863). General mexicano, presidente de México de 1855 a 1858.

cribirse los de Mora [42] y Alamán, Zavala [43] o Mier [44].
Sin contar con que las reflexiones de Humboldt sobre
las antiguas civilizaciones americanas despertaron en
Prescott [45] el anhelo de escribir su *Conquista de México*. ¿Rectificaciones y retoques? Toda obra humana
los necesita; y aunque no siempre lo han advertido
sus críticos, el mismo Humboldt se encargó en buena
parte de estos retoques y rectificaciones, y aun de
morigerar los posibles excesos de su entusiasmo, en
su obra posterior sobre las regiones equinocciales del
Nuevo Continente. Pues Humboldt no era un optimista beato, si bien resulte una que otra vez algo
apresurado para el gusto de los investigadores profesionales.

Las desgracias de América que más tarde le tocó
presenciar no lo dejaron indiferente, y por cierto hubieran destemplado a un acero de menor ley: Sucre [46]
asesinado, Bolívar proscrito, su amigo Alamán en
desgracia, su compañero Bonpland cautivo durante
diez años por capricho del doctor Francia [47]; México
sometido a desmembramientos e invasiones, la Gran
Colombia [48] despedazada, los atentados del Viejo

[42] *José María Luis Mora («El Dr. Mora»)* (1794-1850). Historiador y pensador político liberal mexicano, autor de *México
y sus revoluciones* (1836).

[43] *Lorenzo de Zavala* (1788-1836). Historiador y político mexicano, autor de *Ensayo histórico de las revoluciones de México* (1832).

[44] *Fray Servando Teresa de Mier* (1763-1827). Espíritu liberal
y precursor de la independencia mexicana, natural (como Alfonso
Reyes) de Monterrey; autor de *Memorias* y de una *Historia de la
revolución de Nueva España* (1813). Reyes lo retrata en sus *Retratos
reales e imaginarios (OC, III)* y lo recuerda en otros escritos.

[45] *William Prescott* (1796-1859). Historiador norteamericano
cuya *Historia de la conquista de México* es de 1843.

[46] *Antonio José de Sucre* (1793-1830). Lugarteniente de Bolívar,
nacido como él en Venezuela; primer presidente de Bolivia.

[47] *J. G. Rodríguez Francia («El Dr. Francia»)* (1766-1840).
Tiránico dictador del Paraguay.

[48] *Gran Colombia*. República originalmente formada (1819)
por Venezuela, Colombia y el Ecuador: se disolvió en 1830.

Mundo en el Río de la Plata... Pero todas estas crisis, aunque dolorosas, le parecían males contingentes, y seguía concediéndonos para el porvenir algo como un generoso crédito moral, sin admitir nunca la derrota de sus esperanzas. Humboldt ha dejado a la posteridad una obra que pudiera llamarse la *Nueva Grandeza Mexicana*[49]. Ayer merecimos el elogio de este testigo insobornable. Imaginemos que vuelve hoy entre nosotros y procuremos seguir mereciendo, ahora y siempre, la aprobación de Humboldt.

6 de mayo de 1959 (*A campo traviesa*, 1960).

(Para la celebración oficial del Primer Centenario de la muerte de Humboldt, bajo los auspicios de la Secretaría de Educación Pública, Palacio de Bellas Artes, México.)

---

[49] *Nueva Grandeza Mexicana*. Alusión a la *Grandeza mexicana* de Balbuena, ya aludida en este ensayo. El poeta moderno Salvador Novo titula así un libro en prosa (de 1946).

EL MUNDO, NUESTRO ESCENARIO

¿Aceptas, lector, una charla sin conclusiones, vicio que puede adquirirse —y justificarse— en algunos diálogos de Platón[1]? También allí puede adquirirse el gusto por rondar a veces la filosofía en términos comunes y usando las palabras con que hablan entre sí los vecinos. Pues, si lo aceptas, abre los ojos y empieza a leer.

El Mundo de que vamos a hablar, y al que sólo por esta vez saludaremos con el homenaje de la mayúscula, no es ninguno de los mundos particulares, sino que a todos los abarca. No es, pues, aquel enemigo del alma que colabora, para nuestra ruina, con el Demonio y la Carne. Porque es las tres cosas y muchas otras más, y el diminuto accidente de nuestra posible perdición carece de valor ante esta grandeza.

Nuestro mundo tampoco es ese camino de accidentes sentimentales que, propuestos al trato humano como en carrera de obstáculos, autorizan a declarar que Fulano «carece de mundo» porque se derrama el te en la camisa, defiende con excesivo calor sus opiniones o se indigna demasiado cuando descubre que su ingrata lo engaña. No es el mundo cuyas peripecias hacen decir a Espronceda: «mal anda el mundo», o a Miguel de los Santos Álvarez[2]: «bueno es el

---

[1] *Platón* Véase Reyes, Platón o el poeta contra la poesía, en *La crítica en la edad ateniense, OC, XIII,* y La novela de Platón, en *Junta de sombras, OC, XVII.)*

[2] *Miguel de los Santos Álvarez* (1817-1892). Periodista y poeta

mundo»; o a Gracián[3], que «la mitad del mundo se está riendo de la otra mitad, con necedad de todos»; o a Fray Diego de Estella[4], que «si el mundo con el cuchillo de la verdad fuese abierto, sería visto ser falso y vano»; o a Calderón, en arresto de entereza moral:

> Pequeño mundo soy, y en esto fundo
> que, en ser señor de mí, lo soy del mundo.

No, todo esto es el mundo de los empeños humanos, y el mundo que ahora nos importa es esto y mucho más; tanto, que su contemplación nos hace olvidar completamente los afanes mundanos.

Siguiendo una tradición retórica de su tiempo, que consistía en describir pinturas y estatuas imaginarias, Longo[5], al comienzo de su novela *Dafnis y Cloe*, nos cuenta que, andando de cacería por Lesbos, descubrió, en un bosquecillo consagrado a las Ninfas, cierto cuadro que representaba un gentío entregado a juegos, amores y combates. Lo propio se ve en algunas tablas primitivas y en grabados populares que figuran parques y plazas. Como en el «Juan Pirulero»[6],

---

español, autor de una continuación de *El diablo mundo*, de Espronceda.

[3] *Gracián*. Un personaje de *El criticón* de Gracián, Andrenio, le da a Reyes su título para el libro del que viene este ensayo: *Andrenio: perfiles del hombre*.

[4] *Fray Diego de Estella* (1524-1578). Fraile franciscano y escritor ascético-místico español, autor de un *Tratado de la vanidad del mundo*.

[5] *Longo*. Novelista griego del siglo III (?), cuyo *Dafnis y Cloe* es una novela pastoril de estilo gracioso y licencioso.

[6] *Juan Pirulero*. Personaje folklórico popular y nombre de un juego infantil que se juega en México; en este juego intervienen varios participantes que hacen el papel de músicos tocando un instrumento imaginario: violín, clarinete, piano, violoncelo, etc. Hay también un director de la imaginaria orquesta que a su vez ejecuta uno de los instrumentos. Cuando este director decide cambiar de instrumento, lo hace rápidamente para hacer como

cada cual atiende a su juego. Unos contemplan el cielo; otros, el suelo. Éstos se acuchillan, aquéllos danzan. Quienes trafican con mercaderías diversas, quienes cabalgan. En el recién descubierto fresco de Tepantitla (Teotihuacán)[7], imagen del paraíso terrenal entre los antiguos mexicanos, hay nadadores y bañistas; personajes que cortan flores, descansan bajo los árboles o comen cañas de maíz; bailarinas y jugadores de pelota, cazadores de mariposas que saltan por entre las rocas de jade; y hasta hay uno que derrama lágrimas de gratitud y entona un himno a Tláloc por haber merecido el acceso al lugar de tantas delicias. (Nótese, de paso, que, entre todos ellos, en el cuadro del paraíso mexicano, falta implacablemente el amor). Pues bien, si juntáramos cuanto hacen, dicen, piensan e imaginan todas esas muchedumbres que bien podemos llamar la humanidad, todavía no lograríamos hacinar sino una parte muy modesta del mundo.

Nuestro mundo —el mundo de que ahora hablamos, el Cosmos, y mejor, el Cosmos y el Caos en uno— ni siquiera necesita ser verdadero, pues lo mismo abarca la verdad como la mentira, la realidad más cotidiana y casera como la fantasía más arrebatada. Y si pudiéramos contemplarlo desde afuera, igual nos daría que sólo hubiera existido ayer o sólo hubiera de aparecer mañana. Igual que, en vez de uno, hubiera muchos mundos a un tiempo, como tal

---

que toca el instrumento de cualquiera de los participantes, y éste entonces tiene que hacer como que toca el instrumento que tocaba el director. Si no lo hace rápidamente, pierde el juego y queda eliminado. Los innumerables cambios se hacen con gran rapidez, y de ahí que cada «músico» tenga que atender con atención a su juego, de lo que viene la letra de la tonadilla que se canta en el transcurso del juego: «Este es el juego de Juan Pirulero, / en que cada quien atiende a su juego...»

[7] *San Juan Teotihuacán*. Centro cultural de los toltecas antiguos, sitio de pirámides, no muy lejos de la ciudad de México.

vez lo creyeron los atomistas[8] y aquel pitagórico Petrón[9] que ponía 83 mundos ordenados en triángulo. Porque nuestro mundo a todos los comprendería en su seno. Igual sería que estuviese condenado a desaparecer y a reaparecer en ciclos sucesivos, o sea a resolverse en retorno eterno como lo creyeron varios filósofos presocráticos, lo repitieron los estoicos y lo soñó Nietzsche. Porque nuestro mundo ni dejaría de ser el mundo por sólo existir a pulsaciones.

En fin, que nuestro mundo —el mundo de que ahora hablamos— podría definirse como la suma de todos los órdenes de cosas posibles: el orden real y el irreal, el natural y el sobrenatural, el material y el espiritual, el del conocimiento y el de la fantasía, el visible y el invisible, el humano y el extrahumano. Es decir: todo lo que existe, y de cualquier modo que exista: en la teoría o en la práctica, en la verdad o en la mentira, en el bien o en el mal, belleza o fealdad, pena o gozo. Esto se dice en un santiamén, pero se explica muy despacio. Maese Perogrullo[10] ¿no nos habrá metido en camisas de once varas, como acostumbra?

En efecto, ¿qué entendemos por existir y por diferentes modos de existir? ¿Existen lo mismo o en igual sentido el Creador y las criaturas? ¿O la Isla Encantada de los Poetas? ¿O la ocurrencia que acabo de tener y que me hace sonreír a solas? ¿O la proposición matemática que no corresponde a ninguna realidad física y que, a pesar de eso, produce consecuencias exactas? ¿Y es la existencia un primer paso que

---

[8] *Atomistas*. Partidarios de la filosofía atomista: doctrina de la formación del mundo por combinación fortuita de los átomos.

[9] *Petrón*. Filósofo griego del siglo VI a. C., uno de los primeros discípulos de Pitágoras.

[10] *Maese Perogrullo*. Personaje de la tradición popular española que dice las verdades más obvias y evidentes como si fueran grandes descubrimientos, convirtiéndolas en necedades: tales necedades sentenciosas se suelen llamar «verdades de Perogrullo» o «perogrulladas».

por sí solo se mueve, o necesita de un impulso o principio anterior, que está en la esencia? ¿Y cómo se desprenden ambas de la nada, en qué proporción la admiten a manera de condimento? Porque estas tremendas lucubraciones llenan la historia de la teología y la filosofía. Por suerte, a nuestro propósito en nada afectan tan sutiles distingos. Aquí aceptamos a la vez todas las posturas del problema, todos los asertos y todas las contradicciones a un tiempo. Perros y gatos en un costal, que algo queda. Como dice a sus jinetes el sargento instructor,

Aquí lo enseñamos todo,
no es como en infantería.

El mundo es un escenario, pero es también una segunda persona. No es un tú frente al yo, porque tanto como hablarnos de tú con el mundo nunca lo lograremos; pero es un no-yo frente al yo. El tú lo reservamos para lo que más se nos parece en el mundo, para cada uno de los otros «yoes», y éstos de cierto modo filosófico los mezclamos con el propio yo. El mundo comprende al hombre, es su morada, es su estuche. Pero es legítimo poner al hombre aquí y al mundo allá, a la manera de una ventana frente a un paisaje. La ventana del hombre sobre el espectáculo del mundo —y también sobre su propio ser que, en buena parte, se le deshace en el mundo— es el yo mismo.

El hombre es un punto de vista, y el mundo, una perspectiva humana, una imagen o representación operada en el hombre. Esto quiso afirmar Protágoras[11] con su célebre proposición: «El hombre es la

---

[11] *Protágoras*. Filósofo griego del siglo V a. C., perteneciente al grupo de los *sofistas*, maestros que «insistían sobre todo en la formación general del espíritu para los servicios del ciudadano, para el inmediato fin social». Vid. Reyes, *El mito de Protágoras*, en *Junta de sombras*, *OC. XVII*, pág. 378.

medida de todas las cosas». Aunque de aquí se han querido sacar conclusiones exageradas e irritantes. Esta relatividad del punto de vista no niega la realidad de las cosas, al contrario. Pues sólo se ve de cierto modo o desde cierto punto de vista lo que existe.

Aquí nos referimos de modo general a la representación del mundo según el hombre, y no según cada persona particular. El viejo y el niño, el pobre y el rico, no ven con el mismo ánimo la vida, ya se sabe. Cada uno habla de la feria según le fue en ella. La Roma del acomodado Plinio el Mozo [12] contrasta con la del amargo Juvenal. Pero nos importa el mínimo y común denominador. Mucho menos tomaremos aquí en cuenta el humor diferente con que puede uno despertar cada día y que altera el sabor del mundo. Pero seguramente que el cristal de los ojos humanos tiene una refracción media, semejante en todos los hombres y en todos los momentos, y que para ninguno filtra el espectáculo, digamos, como los ojos polifaciados de la mosca, sino de una manera que todos reconocemos como humana. Y en este sentido solamente, desde este reducto de relativismo antropológico —y no porque neguemos que haya, dentro ya de lo humano, una verdad y una mentira— aceptamos con el poeta, pero sin perturbarnos por ello, que

    todo es según el color
    del cristal con que se mira [13]

_____

[12] *Plinio el Mozo*, o *el Joven (Cayo Cecilio Plinio)*. Escritor latino (61-113 d. C.) famoso por sus *Cartas*.

[13] *«todo es según el color…»* Cita de una de las *Doloras (Las dos linternas)* de Ramón de Campoamor (1817-1901), poeta postromántico español conocido por su filosofía escéptica popular:
    Y es que en el mundo traidor
    nada hay verdad ni mentira
    todo es según el color
    del cristal con que se mira.

El hombre sospecha que, en todas las cosas —a pesar del ingenuo Aquiles[14] que exigía la sinceridad absoluta, como corresponde a su naturaleza heroica, esculpida a hachazos—, uno es lo que dice la cara y otro lo que dice el corazón. Y el hombre se acerca al esclarecimiento movido por dos incentivos: el interés, padre de la industria, y la curiosidad, madre de la filosofía. Por la industria, va descubriendo los disimulos de las cosas y poniendo a contribución el tesoro que esconden todas en su seno. Respecto a la filosofía... Las primeras suposiciones sobre el mundo no se distinguen gran cosa de los chismorreos a propósito de una familia recién llegada al barrio. Las arcaicas cosmogonías, mitologías, supersticiones, prácticas rituales, toda la antropología primitiva en suma, se reducen a cuentos de vecindad. Y la filosofía sigue siendo un hábito de meter las narices en los negocios privados del mundo. Su personaje simbólico pudiera ser aquel filósofo cínico de la Antigüedad, Crates el Tebano[15], a quien apodaron algo así como «el violador de cerrojos» o «el entrometido», porque en todas partes se colaba para averiguar vidas ajenas y dar consejos espontáneos.

Andrenio: perfiles del hombre.

---

[14] *Aquiles.* Véase Reyes, *La estrategia del «gaucho» Aquiles*, en *Junta de sombras*, *OC, XVII.*

[15] *Crates el Tebano* (c. 365-285 a. C.). «El tebano Crates fue convertido por Diógenes y fue maestro del estoico Zenón. Se deshizo un día de su fortuna y adoptó la vida del can. Era poeta burlesco y parodista de Homero y Solón... Crates se hizo famoso por su audacia para meterse en las casas particulares a dar consejos espontáneos. Lo llamaban el "abrepuertas"» (Reyes, *La filosofía helenística*, 1.ª ed., pág. 79.)

Colección Letras Hispánicas

Prosa y poesía, ALFONSO REYES.
  Edición de James Willis Robb.
Itinerario poético, GABRIEL CELAYA.
  Edición del autor.

DE INMINENTE APARICIÓN

Antolojía poética, JUAN RAMÓN JIMÉNEZ.
  Edición de Vicente Gaos.
Clemencia, FERNÁN CABALLERO.
  Edición de Julio Rodríguez Luis.
El rufián dichoso, MIGUEL DE CERVANTES.
  Edición de Edward Nagy.

DATE DUE